THÉRÈSE DESQUEYROUX

FRANÇOIS MAURIAC

DE L'ACADÉMIE FRANÇAISE

Thérèse Desqueyroux

BERNARD GRASSET

> Seigneur, ayez pitié, ayez pitié des
> fous et des folles! O Créateur!
> peut-il exister des monstres aux
> yeux de celui-là seul qui sait pour-
> quoi ils existent, comment *ils se
> sont faits*, et comment ils auraient
> pu ne pas se faire....
>
> Charles BAUDELAIRE.

Thérèse, beaucoup diront que tu n'existes pas. Mais je sais que tu existes, moi qui, depuis des années, t'épie et souvent t'arrête au passage, te démasque.

Adolescent, je me souviens d'avoir aperçu, dans une salle étouffante d'assises, livrée aux avocats moins féroces que les dames empanachées, ta petite figure blanche et sans lèvres.

Plus tard, dans un salon de campagne, tu m'apparus sous les traits d'une jeune femme hagarde qu'irritaient les soins de ses vieilles parentes, d'un époux naïf: "Mais qu'a-t-elle donc? disaient-ils. Pourtant nous la comblons de tout."

Depuis lors, que de fois ai-je admiré, sur ton front vaste et beau, ta main un peu trop grande! Que de fois, à travers les barreaux vivants d'une famille, t'ai-je vue tourner en rond, à pas de louve; et de ton œil méchant et triste tu me dévisageais.

Beaucoup s'étonneront que j'aie pu imaginer une créature plus odieuse encore que tous mes autres héros. Saurai-je jamais rien dire des êtres ruisselants de vertu et qui ont le cœur sur la main? Les " cœurs sur la main " n'ont pas d'histoire; mais je connais celle des cœurs enfouis et tout mêlés à un corps de boue.

J'aurais voulu que la douleur, Thérèse, te livre à Dieu; et j'ai longtemps désiré que tu fusses digne du nom de Sainte Locuste. Mais plusieurs, qui pourtant croient à la chute et au rachat de nos âmes tourmentées, eussent crié au sacrilège.

Du moins, sur ce trottoir où je t'abandonne, j'ai l'espérance que tu n'es pas seule.

I

L'avocat ouvrit une porte. Thérèse Desqueyroux, dans ce couloir dérobé du Palais de Justice, sentit sur sa face la brume et, profondément, l'aspira. Elle avait peur d'être attendue, hésitait à sortir. Un homme, dont le col était relevé, se détacha d'un platane; elle reconnut son père. L'avocat cria : " Non-Lieu " et, se retournant vers Thérèse :

" Vous pouvez sortir : il n'y a personne. "

Elle descendit des marches mouillées. Oui, la petite place semblait déserte. Son père ne l'embrassa pas, ne lui donna pas même un regard; il interrogeait l'avocat Duros qui répondait à mi-voix, comme s'ils eussent été épiés. Elle entendait confusément leurs propos :

" Je recevrai demain l'avis officiel du non-lieu.

— Il ne peut plus y avoir de surprise?

— Non : les carottes sont cuites, comme on dit.

— Après la déposition de mon gendre, c'était couru.

— Couru... couru.... On ne sait jamais.

— Du moment que, de son propre aveu, il ne comptait jamais les gouttes....

— Vous savez, Larroque, dans ces sortes d'affaires, le témoignage de la victime.... "

La voix de Thérèse s'éleva :

" Il n'y a pas eu de victime.

— J'ai voulu dire : victime de son imprudence, madame. "

Les deux hommes, un instant, observèrent la jeune femme immobile, serrée dans son manteau, et ce blême visage qui n'exprimait rien. Elle demanda où était la voiture; son père l'avait fait attendre sur la route de Budos, en dehors de la ville, pour ne pas attirer l'attention.

Ils traversèrent la place : des feuilles de platane étaient collées aux bancs trempés de pluie. Heureusement, les jours avaient bien diminué. D'ailleurs, pour rejoindre la route de Budos, on peut suivre les rues les plus désertes de la sous-préfecture. Thérèse marchait entre les deux hommes qu'elle dominait du front et qui de nouveau discutaient comme si elle n'eût pas été présente; mais, gênés par ce corps de femme qui les séparait, ils le poussaient du coude. Alors elle demeura un peu en arrière, déganta sa main gauche pour arracher de la mousse aux vieilles pierres qu'elle longeait. Parfois un ouvrier à bicyclette la dépassait, ou une carriole; la boue jaillie l'obligeait à se tapir contre le mur. Mais le crépuscule recouvrait Thérèse, empêchait que les hommes la reconnussent. L'odeur de fournil et de brouillard n'était plus seulement pour elle l'odeur du soir dans une petite ville : elle y retrouvait le parfum de la vie qui lui était rendue enfin; elle fermait les yeux au souffle de la terre endormie, herbeuse et mouillée; s'efforçait de ne pas entendre les propos du petit homme aux courtes jambes arquées qui, pas une fois, ne se retourna vers sa fille; elle aurait pu choir au bord de ce chemin : ni lui, ni Duros ne s'en fussent aperçus. Ils n'avaient plus peur d'élever la voix.

« La déposition de monsieur Desqueyroux était

excellente, oui. Mais il y avait cette ordonnance :
en somme, il s'agissait d'un faux.... Et c'était le
docteur Pédemay qui avait porté plainte....

— Il a retiré sa plainte....

— Tout de même, l'explication qu'elle a donnée :
cet inconnu qui lui remet une ordonnance.... "

Thérèse, moins par lassitude que pour échapper à
ces paroles dont on l'étourdissait depuis des semaines,
ralentit en vain sa marche; impossible de ne pas
entendre le fausset de son père :

" Je le lui ai assez dit : " Mais, malheureuse, trouve
autre chose... trouve autre chose.... "

Il le lui avait assez dit, en effet, et pouvait se rendre
justice. Pourquoi s'agite-t-il encore? Ce qu'il appelle
l'honneur du nom est sauf; d'ici les élections sénato-
riales, nul ne se souviendra plus de cette histoire.
Ainsi songe Thérèse qui voudrait bien ne pas
rejoindre les deux hommes; mais dans le feu de
la discussion, ils s'arrêtent au milieu de la route
et gesticulent.

"Croyez-moi, Larroque, faites front; prenez
l'offensive dans *Le Semeur* de dimanche; préférez-

vous que je m'en charge? Il faudrait un titre comme
La rumeur infâme....

— Non, mon vieux; non, non : que répondre,
d'ailleurs? C'est trop évident que l'instruction a été
bâclée; on n'a pas même eu recours aux experts en
écriture; le silence, l'étouffement, je ne connais que
ça. J'agirai, j'y mettrai le prix; mais, pour la famille,
il faut recouvrir tout ça... il faut recouvrir.... "

Thérèse n'entendit pas la réponse de Duros, car
ils avaient allongé le pas. Elle aspira de nouveau la
nuit pluvieuse, comme un être menacé d'étouffement; et soudain s'éveilla en elle le visage inconnu
de Julie Bellade, sa grand-mère maternelle —
inconnu : on eût cherché vainement chez les Larroque
ou chez les Desqueyroux un portrait, un daguerréo-
type, une photographie de cette femme dont nul ne
savait rien, sinon qu'elle était partie un jour. Thérèse
imagine qu'elle aurait pu être ainsi effacée, anéantie, et
que plus tard il n'eût pas même été permis à sa fille,
à sa petite Marie, de retrouver dans un album la
figure de celle qui l'a mise au monde. Marie, à cette
heure, déjà s'endort dans une chambre d'Argelouse
où Thérèse arrivera tard, ce soir; alors la jeune femme

entendra, dans les ténèbres, ce sommeil d'enfant; elle
se penchera, et ses lèvres chercheront, comme de
l'eau, cette vie endormie.

Au bord du fossé, les lanternes d'une calèche, dont
la capote était baissée, éclairaient deux croupes maigres de chevaux. Au-delà, se dressait, à gauche et à
droite de la route, une muraille sombre de forêt.
D'un talus à l'autre, les cimes des premiers pins se
rejoignaient et, sous cet arc, s'enfonçait la route mys-
térieuse. Le ciel, au-dessus d'elle, se frayait un lit
encombré de branches.

Le cocher contemplait Thérèse avec une attention
goulue. Comme elle lui demandait s'ils arriveraient
assez tôt pour le dernier train, à la gare de Nizan, il
la rassura : tout de même, mieux valait ne pas s'attar-
der.

" C'est la dernière fois que je vous donne cette
corvée, Gardère.

— Madame n'a plus à faire ici? "

Elle secoua la tête et l'homme la dévorait toujours
des yeux. Devrait-elle, toute sa vie, être ainsi dévi-
sagée?

" Alors, tu es contente? "

Son père semblait enfin s'apercevoir qu'elle était
là. Thérèse, d'un bref regard, scruta ce visage sali de
bile, ces joues hérissées de durs poils d'un blanc
jaune que les lanternes éclairaient vivement. Elle dit
à voix basse : " J'ai tant souffert... je suis rompue... "
puis s'interrompit : à quoi bon parler? Il ne l'écoute
pas; ne la voit plus. Que lui importe ce que Thérèse
éprouve? Cela seul compte : son ascension vers le
Sénat interrompue, compromise à cause de cette
fille (toutes des hystériques quand elles ne sont pas
des idiotes). Heureusement, elle ne s'appelle plus
Larroque; c'est une Desqueyroux. La Cour d'assises
évitée, il respire. Comment empêcher les adversaires
d'entretenir la plaie? Dès demain, il ira voir le Préfet.
Dieu merci, on tient le directeur de *La Lande Conser-*
vatrice : cette histoire de petites filles.... Il prit le bras
de Thérèse :

" Monte vite; il est temps. "

Alors l'avocat, perfidement peut-être, — ou pour
que Thérèse ne s'éloignât pas, sans qu'il lui eût
adressé une parole, demanda si elle rejoignait dès ce
soir M. Bernard Desqueyroux. Comme elle répondait :
"Mais bien sûr, mon mari m'attend..." elle se repré-

senta pour la première fois, depuis qu'elle avait quitté
le juge, qu'en effet dans quelques heures, elle passe-
rait le seuil de la chambre où son mari était étendu,
un peu malade encore, et qu'une indéfinie suite de
jours, de nuits, s'ouvrait, au long desquels il faudrait
vivre tout contre cet homme.

Établie chez son père, aux portes de la petite ville,
depuis l'ouverture de l'instruction, sans doute avait-
elle souvent fait ce même voyage qu'elle entreprenait
ce soir; mais elle n'avait alors aucune autre préoccu-
pation que de renseigner exactement son mari; elle
écoutait, avant de monter en voiture, les derniers
conseils de Duros touchant les réponses que devait
faire M. Desqueyroux lorsqu'il serait de nouveau
interrogé; — aucune angoisse chez Thérèse, en ce
temps-là, aucune gêne à l'idée de se retrouver face à
face avec cet homme malade : il s'agissait alors entre
eux non de ce qui s'était passé réellement, mais de ce
qu'il importait de dire ou de ne pas dire. Jamais les
deux époux ne furent mieux unis que par cette
défense; unis dans une seule chair — la chair de leur
petite fille Marie. Ils recomposaient, à l'usage du juge,
une histoire simple, fortement liée et qui pût satis-

faire ce logicien. Thérèse, à cette époque, montait dans la même calèche qui l'attend, ce soir; — mais avec quelle impatience d'achever ce voyage nocturne dont elle souhaite à présent de ne pas voir la fin! Elle se souvient qu'à peine en voiture, elle eût voulu être déjà dans cette chambre d'Argelouse, et se remémorait les renseignements qu'attendait Bernard Desqueyroux (qu'il ne craigne pas d'affirmer qu'elle lui avait parlé un soir de cette ordonnance dont un homme inconnu l'avait suppliée de se charger, sous prétexte qu'il n'osait plus paraître chez le pharmacien à qui il devait de l'argent.... Mais Duros n'était pas d'avis que Bernard allât jusqu'à prétendre qu'il se souvenait d'avoir reproché à sa femme une telle imprudence....)

Le cauchemar dissipé, de quoi parleront-ils ce soir, Bernard et Thérèse? Elle voit en esprit la maison perdue où il l'attend; elle imagine le lit au centre de cette chambre carrelée, la lampe basse sur la table parmi des journaux et des fioles.... Les chiens de garde que la voiture a réveillés aboient encore puis se taisent; et de nouveau régnera ce silence solennel, comme durant les nuits où elle contemplait Bernard en proie à d'atroces vomissements. Thérèse s'efforce d'imaginer le premier regard qu'ils échangeront tout à l'heure; puis cette nuit, et le lendemain, le jour qui suivra, les semaines, dans cette maison d'Argelouse où ils n'auront plus à construire ensemble une version avouable du drame qu'ils ont vécu. Rien ne sera plus entre eux que ce qui fut réellement... ce qui fut réellement.... Prise de panique, Thérèse balbutie, tournée vers l'avocat (mais c'est au vieux qu'elle s'adresse) :

" Je compte demeurer quelques jours auprès de monsieur Desqueyroux. Puis, si le mieux s'accentue, je reviendrai chez mon père.

— Ah! ça non, non, non, ma petite! "

Et comme Gardère sur son siège s'agitait, M. Larroque reprit à voix plus basse :

" Tu deviens tout à fait folle? Quitter ton mari en ce moment? Il faut que vous soyez comme les deux doigts de la main... comme les deux doigts de la main, entends-tu? jusqu'à la mort....

— Tu as raison, père; où avais-je la tête? Alors c'est toi qui viendras à Argelouse?

— Mais, Thérèse, je vous attendrai chez moi les

jeudis de foire, comme d'habitude. Vous viendrez comme vous êtes toujours venus! "

C'était incroyable qu'elle ne comprît pas que la moindre dérogation aux usages serait leur mort. C'était bien entendu? Il pouvait compter sur Thérèse? Elle avait causé à la famille assez de mal....

" Tu feras tout ce que ton mari te dira de faire. Je ne peux pas mieux dire. "

Et il la poussa dans la voiture.

Thérèse vit se tendre vers elle la main de l'avocat, ses durs ongles noirs : " Tout est bien qui finit bien ", dit-il; et c'était du fond du cœur; si l'affaire avait suivi son cours, il n'en aurait guère eu le bénéfice; la famille eût fait appel à Mᵉ Peyrecave, du barreau bordelais. Oui, tout était bien....

II

Cette odeur de cuir moisi des anciennes voitures, Thérèse l'aime.... Elle se console d'avoir oublié ses cigarettes, détestant de fumer dans le noir. Les lanternes éclairent les talus, une frange de fougères, la base des pins géants. Les piles de cailloux détruisent l'ombre de l'équipage. Parfois passe une charrette et les mules d'elles-mêmes prennent la droite sans que bouge le muletier endormi. Il semble à Thérèse qu'elle n'atteindra jamais Argelouse; elle espère ne l'atteindre jamais; plus d'une heure de voiture jusqu'à la gare de Nizan; puis ce petit train qui s'arrête indéfiniment à chaque gare. De Saint-Clair même où elle descendra jusqu'à Argelouse, dix kilomètres à parcourir en carriole (telle est la route qu'aucune auto n'oserait s'y engager la nuit). Le destin, à toutes les étapes, peut encore surgir, la délivrer; Thérèse cède

à cette imagination qui l'eût possédée, la veille du
jugement, si l'inculpation avait été maintenue :
l'attente du tremblement de terre. Elle enlève son
chapeau, appuie contre le cuir odorant sa petite tête
blême et ballottée, livre son corps aux cahots. Elle
avait vécu, jusqu'à ce soir, d'être traquée; maintenant que la voilà sauve, elle mesure son épuisement.
Joues creuses, pommettes, lèvres aspirées, et ce large
front, magnifique, composent une figure de condamnée — oui, bien que les hommes ne l'aient pas
reconnue coupable — condamnée à la solitude
éternelle. Son charme, que le monde naguère disait
irrésistible, tous ces êtres le possèdent dont le visage
trahirait un tourment secret, l'élancement d'une plaie
intérieure, s'ils ne s'épuisaient à donner le change.
Au fond de cette calèche cahotante, sur cette route
frayée dans l'épaisseur obscure des pins, une jeune
femme démasquée caresse doucement avec la main
droite sa face de brûlée vive. Quelles seront les premières paroles de Bernard dont le faux témoignage l'a
sauvée? Sans doute ne posera-t-il aucune question,
ce soir... mais demain? Thérèse ferme les yeux, les
rouvre et, comme les chevaux vont au pas, s'efforce

de reconnaître cette montée. Ah! ne rien prévoir.
Ce sera peut-être plus simple qu'elle n'imagine. Ne
rien prévoir. Dormir.... Pourquoi n'est-elle plus dans
la calèche? Cet homme derrière un tapis vert : le juge
d'instruction... encore lui.... Il sait bien pourtant
que l'affaire est arrangée. Sa tête remue de gauche
à droite : l'ordonnance de non-lieu ne peut être
rendue, il y a un fait nouveau. Un fait nouveau?
Thérèse se détourne pour que l'ennemi ne voie pas
sa figure décomposée. " Rappelez vos souvenirs,
madame. Dans la poche intérieure de cette vieille
pèlerine — celle dont vous n'usez plus qu'en octobre,
pour la chasse à la palombe, n'avez-vous rien oublié,
rien dissimulé? " Impossible de protester; elle étouffe.
Sans perdre son gibier des yeux, le juge dépose sur
la table un paquet minuscule, cacheté de rouge.
Thérèse pourrait réciter la formule inscrite sur
l'enveloppe et que l'homme déchiffre d'une voix
coupante :

Chloroforme : 30 grammes.
Aconitine : granules n° 20.
Digitaline sol. : 20 grammes.

Le juge éclate de rire.... Le frein grince contre la roue. Thérèse s'éveille; sa poitrine dilatée s'emplit de brouillard (ce doit être la descente du ruisseau blanc). Ainsi rêvait-elle, adolescente, qu'une erreur l'obligeait à subir de nouveau les épreuves du Brevet simple. Elle goûte, ce soir, la même allégeance qu'à ses réveils d'alors : à peine un peu de trouble parce que le non-lieu n'était pas encore officiel : " Mais tu sais bien qu'il doit être d'abord notifié à l'avocat.... "

Libre... que souhaiter de plus? Ce ne lui serait qu'un jeu de rendre possible sa vie auprès de Bernard. Se livrer à lui jusqu'au fond, ne rien laisser dans l'ombre : voilà le salut. Que tout ce qui était caché apparaisse dans la lumière, et dès ce soir. Cette résolution comble Thérèse de joie. Avant d'atteindre Argelouse, elle aura le temps de " préparer sa confession ", selon le mot que sa dévote amie Anne de la Trave répétait chaque samedi de leurs vacances heureuses. Petite sœur Anne, chère innocente, quelle place vous occupez dans cette histoire! Les êtres les plus purs ignorent à quoi ils sont mêlés chaque jour, chaque nuit, et ce qui germe d'empoisonné sous leurs pas d'enfants.

Certes elle avait raison, cette petite fille, lorsqu'elle répétait à Thérèse, lycéenne raisonneuse et moqueuse : " Tu ne peux imaginer cette délivrance après l'aveu, après le pardon, — lorsque la place nette, on peut recommencer sa vie sur nouveaux frais. " Il suffisait à Thérèse d'avoir résolu de tout dire pour déjà connaître, en effet, une sorte de desserrement délicieux : " Bernard saura tout; je lui dirai.... "

Que lui dirait-elle? Par quel aveu commencer? Des paroles suffisent-elles à contenir cet enchaînement confus de désirs, de résolutions, d'actes imprévisibles? Comment font-ils, tous ceux qui connaissent leurs crimes?... " Moi, je ne connais pas mes crimes. Je n'ai pas voulu celui dont on me charge. Je ne sais pas ce que j'ai voulu. Je n'ai jamais su vers quoi tendait cette puissance forcenée en moi et hors de moi : ce qu'elle détruisait sur sa route, j'en étais moi-même terrifiée.... "

Une fumeuse lampe à pétrole éclairait le mur crépi de la gare de Nizan et une carriole arrêtée. (Que les ténèbres se reforment vite à l'entour!) D'un train garé venaient des mugissements, des bêlements tristes. Gardère prit le sac de Thérèse, et de nouveau il la dévorait des yeux. Sa femme avait dû lui recommander : " Tu regarderas bien comment elle est, quelle tête elle fait.... " Pour le cocher de M. Larroque, Thérèse d'instinct retrouvait ce sourire qui faisait dire aux gens : " On ne se demande pas si elle est jolie ou laide, on subit son charme.... " Elle le pria d'aller prendre sa place au guichet, car elle craignait de traverser la salle d'attente où deux métayères assises, un panier sur les genoux et branlant la tête, tricotaient.

Quand il rapporta le billet, elle lui dit de garder la monnaie. Il toucha de la main sa casquette puis, les rênes rassemblées, se retourna une dernière fois pour dévisager la fille de son maître.

Le train n'était pas formé encore. Naguère, à l'époque des grandes vacances ou de la rentrée des classes, Thérèse Larroque et Anne de la Trave se faisaient une joie de cette halte à la gare du Nizan. Elles mangeaient à l'auberge un œuf frit sur du jambon puis allaient, se tenant par la taille, sur cette route si ténébreuse ce soir; mais Thérèse ne la voit, en ces années finies, que blanche de lune. Alors elles

riaient de leurs longues ombres confondues. Sans
doute parlaient-elles de leurs maîtresses, de leurs
compagnes, — l'une défendant son couvent, l'autre
son lycée. " Anne.... " Thérèse prononce son nom
à haute voix dans le noir. C'était d'elle qu'il faudrait
d'abord entretenir Bernard.... Le plus précis des
hommes, ce Bernard : Il classe tous les sentiments,
les isole, ignore entre eux ce lacis de défilés, de passa-
ges. Comment l'introduire dans ces régions indéter-
minées où Thérèse a vécu, a souffert? Il le faut pourtant. Aucun autre geste possible, tout à l'heure, en
pénétrant dans la chambre, que de s'asseoir au bord
du lit et d'entraîner Bernard d'étape en étape jusqu'au
point où il arrêtera Thérèse : " Je comprends maintenant; lève-toi; sois pardonnée. "

Elle traversa à tâtons le jardin du chef de gare,
sentit des chrysanthèmes sans les voir. Personne dans
le compartiment de première, où d'ailleurs le lumi-
gnon n'eût pas suffi à éclairer son visage. Impossible
de lire : mais quel récit n'eût paru fade à Thérèse,
au prix de sa vie terrible? Peut-être mourrait-elle de
honte, d'angoisse, de remords, de fatigue, — mais
elle ne mourrait pas d'ennui.

Elle se rencogna, ferma les yeux. Était-il vraisemblable qu'une femme de son intelligence n'arrivât pas à rendre ce drame intelligible? Oui, sa confession finie, Bernard la relèverait : " Va en paix, Thérèse, ne t'inquiète plus. Dans cette maison d'Argelouse, nous attendrons ensemble la mort, sans que nous puissent jamais séparer les choses accomplies. J'ai soif. Descends toi-même à la cuisine. Prépare un verre d'orangeade. Je le boirai d'un trait, même s'il est trouble. Qu'importe que le goût me rappelle celui qu'avait autrefois mon chocolat du matin? Tu te souviens, ma bien-aimée, de ces vomissements? Ta chère main soutenait ma tête; tu ne détournais pas les yeux de ce liquide verdâtre; mes syncopes ne t'effrayaient pas. Pourtant, comme tu devins pâle cette nuit où je m'aperçus que mes jambes étaient inertes, insensibles. Je grelottais, tu te souviens? Et cet imbécile de docteur Pédemay stupéfait que ma température fût si basse et mon pouls si agité.... "

" Ah! songe Thérèse, il n'aura pas compris. Il faudra tout reprendre depuis le commencement.... " Où est le commencement de nos actes? Notre destin, quand nous voulons l'isoler, ressemble à ces plantes

qu'il est impossible d'arracher avec toutes leurs
racines. Thérèse remontera-t-elle jusqu'à son enfance ?
Mais l'enfance est elle-même une fin, un aboutisse-
ment.

L'enfance de Thérèse : de la neige à la source du
fleuve le plus sali. Au lycée, elle avait paru vivre
indifférente et comme absente des menues tragédies
qui déchiraient ses compagnes. Les maîtresses souvent leur proposaient l'exemple de Thérèse Larroque : " Thérèse ne demande point d'autre récompense
que cette joie de réaliser en elle un type d'humanité
supérieure. Sa conscience est son unique et suffisante
lumière. L'orgueil d'appartenir à l'élite humaine la
soutient mieux que ne ferait la crainte du châti-
ment.... " Ainsi s'exprimait une de ses maîtresses.
Thérèse s'interroge : " Étais-je si heureuse ? Étais-je
si candide ? Tout ce qui précède mon mariage prend
dans mon souvenir cet aspect de pureté ; contraste,
sans doute, avec cette ineffaçable salissure des noces.
Le lycée, au-delà de mon temps d'épouse et de mère,
m'apparaît comme un paradis. Alors je n'en avais
pas conscience. Comment aurais-je pu savoir que dans

ces années d'avant la vie je vivais ma vraie vie? Pure,
je l'étais : un ange, oui! Mais un ange plein de passions. Quoi que prétendissent mes maîtresses, je
souffrais, je faisais souffrir. Je jouissais du mal que je
causais et de celui qui me venait de mes amies; pure
souffrance qu'aucun remords n'altérait : douleurs et
joies naissaient des plus innocents plaisirs. "

La récompense de Thérèse, c'était, à la saison brû-
lante, de ne pas se juger indigne d'Anne qu'elle rejoignait sous les chênes d'Argelouse. Il fallait qu'elle
pût dire à l'enfant élevée au Sacré-Cœur : " Pour être
aussi pure que tu l'es, je n'ai pas besoin de tous ces
rubans ni de toutes ces rengaines.... " Encore la
pureté d'Anne de la Trave était-elle faite surtout
d'ignorance. Les dames du Sacré-Cœur interposaient
mille voiles entre le réel et leurs petites filles. Thérèse
les méprisait de confondre vertu et ignorance :
" Toi, chérie, tu ne connais pas la vie... ", répétait-elle
en ces lointains étés d'Argelouse. Ces beaux étés....
Thérèse, dans le petit train qui démarre enfin, s'avoue
que c'est vers eux qu'il faut que sa pensée remonte,
si elle veut voir clair. Incroyable vérité que dans ces
aubes toutes pures de nos vies, les pires orages étaient

déjà suspendus. Matinées trop bleues : mauvais signe pour le temps de l'après-midi et du soir. Elles annoncent les parterres saccagés, les branches rompues et toute cette boue. Thérèse n'a pas réfléchi, n'a rien prémédité à aucun moment de sa vie; nul tournant brusque : elle a descendu une pente insensible, lentement d'abord puis plus vite. La femme perdue de ce soir, c'est bien le jeune être radieux qu'elle fut durant les étés de cet Argelouse où voici qu'elle retourne furtive et protégée par la nuit.

Quelle fatigue! A quoi bon découvrir les ressorts secrets de ce qui est accompli? La jeune femme, à travers les vitres, ne distingue rien hors le reflet de sa figure morte. Le rythme du petit train se rompt; la locomotive siffle longuement, approche avec prudence d'une gare. Un falot balancé par un bras, des appels en patois, les cris aigus des porcelets débarqués : Uzeste déjà. Une station encore, et ce sera Saint-Clair d'où il faudra accomplir en carriole la dernière étape vers Argelouse. Qu'il reste peu de temps à Thérèse pour préparer sa défense!

III

Argelouse est réellement une extrémité de la terre;
un de ces lieux au-delà desquels il est impossible
d'avancer, ce qu'on appelle ici un quartier : quelques
métairies sans église, ni mairie, ni cimetière, dissé-
minées autour d'un champ de seigle, à dix kilomètres
du bourg de Saint-Clair, auquel les relie une seule
route défoncée. Ce chemin plein d'ornières et de
trous se mue, au-delà d'Argelouse, en sentiers sablon-
neux; et jusqu'à l'Océan il n'y a plus rien que quatre-
vingts kilomètres de marécages, de lagunes, de pins
grêles, de landes où à la fin de l'hiver les brebis ont
la couleur de la cendre. Les meilleures familles de
Saint-Clair sont issues de ce quartier perdu. Vers le
milieu du dernier siècle, alors que la résine et le bois
commencèrent d'ajouter aux maigres ressources qu'ils
tiraient de leurs troupeaux, les grands-pères de ceux

qui vivent aujourd'hui s'établirent à Saint-Clair, et leurs logis d'Argelouse devinrent des métairies. Les poutres sculptées de l'auvent, parfois une cheminée en marbre témoignent de leur ancienne dignité. Elles se tassent un peu plus chaque année et la grande aile fatiguée d'un de leurs toits touche presque la terre.

Deux de ces vieilles demeures pourtant sont encore des maisons de maîtres. Les Larroque et les Desqueyroux ont laissé leurs logis d'Argelouse tels qu'ils les reçurent des ascendants. Jérôme Larroque, maire et conseiller général de B. et qui avait aux portes de cette sous-préfecture sa résidence principale, ne voulut jamais rien changer à ce domaine d'Argelouse qui lui venait de sa femme (morte en couches alors que Thérèse était encore au berceau) et où il ne s'étonnait pas que la jeune fille eût le goût de passer les vacances. Elle s'y installait dès juillet, sous la garde d'une sœur aînée de son père, tante Clara, vieille fille sourde qui aimait aussi cette solitude parce qu'elle n'y voyait pas, disait-elle, les lèvres des autres remuer et qu'elle savait qu'on n'y pouvait rien entendre que le vent dans les pins. M. Larroque se félicitait de ce qu'Argelouse, qui le débarrassait de sa fille, la rapprochait de ce Bernard Desqueyroux qu'elle devait épouser, un jour, selon le vœu des deux familles, et bien que leur accord n'eût pas un caractère officiel.

Bernard Desqueyroux avait hérité de son père, à Argelouse, une maison voisine de celle des Larroque ; on ne l'y voyait jamais avant l'ouverture de la chasse et il n'y couchait qu'en octobre, ayant installé non loin sa palombière. L'hiver, ce garçon raisonnable suivait à Paris des cours de droit ; l'été, il ne donnait que peu de jours à sa famille : Victor de la Trave l'exaspérait, que sa mère, veuve, avait épousé " sans le sou " et dont les grandes dépenses étaient la fable de Saint-Clair. Sa demi-sœur Anne lui paraissait trop jeune alors pour qu'il pût lui accorder quelque attention. Songeait-il beaucoup plus à Thérèse ? Tout le pays les mariait parce que leurs propriétés semblaient faites pour se confondre et le sage garçon était, sur ce point, d'accord avec tout le pays. Mais il ne laissait rien au hasard et mettait son orgueil dans la bonne organisation de la vie : " On n'est jamais malheureux que par sa faute... ", répétait ce jeune homme un peu trop gras. Jusqu'à son mariage, il fit une part égale au travail et au plaisir, s'il ne dédai-

gnait ni la nourriture, ni l'alcool, ni surtout la chasse,
il travaillait d' " arrache-pied ", selon l'expression de
sa mère. Car un mari doit être plus instruit que sa
femme ; et déjà l'intelligence de Thérèse était fameuse ;
un esprit fort, sans doute... mais Bernard savait à
quelles raisons cède une femme ; et puis, ce n'était
pas mauvais, lui répétait sa mère : " d'avoir un pied
dans les deux camps " ; le père Larroque pourrait le
servir. A vingt-six ans, Bernard Desqueyroux, après
quelques voyages " fortement potassés d'avance "
en Italie, en Espagne, aux Pays-Bas, épouserait la
fille la plus riche et la plus intelligente de la lande,
peut-être pas la plus jolie, " mais on ne se demande
pas si elle est jolie ou laide, on subit son charme ".

Thérèse sourit à cette caricature de Bernard qu'elle
dessine en esprit : " Au vrai, il était plus fin que la
plupart des garçons que j'eusse pu épouser. " Les
femmes de la lande sont très supérieures aux hommes
qui, dès le collège, vivent entre eux et ne s'affinent
guère ; la lande a gardé leur cœur ; ils continuent
d'y demeurer en esprit ; rien n'existe pour eux que
les plaisirs qu'elle leur dispense ; ce serait la trahir,
la quitter un peu plus que de perdre la ressemblance

avec leurs métayers, de renoncer au patois, aux
manières frustes et sauvages. Sous la dure écorce de
Bernard n'y avait-il une espèce de bonté? Lorsqu'il
était tout près de mourir, les métayers disaient :
" Après lui, il n'y aura plus de monsieur, ici ". Oui,
de la bonté, et aussi une justesse d'esprit, une grande
bonne foi; il ne parle guère de ce qu'il ne connaît
pas; il accepte ses limites. Adolescent, il n'était point
si laid, cet Hippolyte mal léché — moins curieux
des jeunes filles que du lièvre qu'il forçait dans la
lande....

Pourtant ce n'est pas lui que Thérèse, les paupières
baissées, la tête contre la vitre du wagon, voit surgir
à bicyclette en ces matinées d'autrefois, sur la route
de Saint-Clair à Argelouse, vers neuf heures, avant
que la chaleur soit à son comble; non pas le fiancé
indifférent, mais sa petite sœur Anne, le visage en
feu, — et déjà les cigales s'allumaient de pin en pin
et sous le ciel commençait à ronfler la fournaise de la
lande. Des millions de mouches s'élevaient des
hautes brandes : " Remets ton manteau pour entrer
au salon; c'est une glacière.... " Et la tante Clara

ajoutait : " Ma petite, vous aurez à boire quand vous
ne serez plus en nage.... " Anne criait à la sourde
d'inutiles paroles de bienvenue : "Ne t'égosille
pas, chérie, elle comprend tout au mouvement des
lèvres.... " Mais la jeune fille articulait en vain chaque
mot et déformait sa bouche minuscule : la tante répondait au hasard jusqu'à ce que les amies fussent obli-
gées de fuir pour rire à l'aise.

Du fond d'un compartiment obscur, Thérèse
regarde ces jours purs de sa vie — purs mais éclairés
d'un frêle bonheur imprécis ; et cette trouble lueur
de joie, elle ne savait pas alors que ce devait être son
unique part en ce monde. Rien ne l'avertissait que
tout son lot tenait dans un salon ténébreux, au centre
de l'été implacable, — sur ce canapé de reps rouge,
auprès d'Anne dont les genoux rapprochés soutenaient un album de photographies. D'où lui venait
ce bonheur ? Anne avait-elle un seul des goûts de
Thérèse ? Elle haïssait la lecture, n'aimait que coudre,
jacasser et rire. Aucune idée sur rien, tandis que Thérèse dévorait du même appétit les romans de Paul de
Kock, les *Causeries du Lundi*, l'*Histoire du Consulat*,
tout ce qui traîne dans les placards d'une maison de

campagne. Aucun goût commun, hors celui d'être
ensemble durant ces après-midi où le feu du ciel
assiège les hommes barricadés dans une demi-ténèbre.
Et Anne parfois se levait pour voir si la chaleur était
tombée. Mais, les volets à peine entrouverts, la
lumière pareille à une gorgée de métal en fusion,
soudain jaillie, semblait brûler la natte, et il fallait,
de nouveau, tout clore et se tapir.

Même au crépuscule, et lorsque déjà le soleil ne
rougissait plus que le bas des pins et que s'acharnait,
tout près du sol, une dernière cigale, la chaleur demeurait stagnante sous les chênes. Comme elles se fussent
assises au bord d'un lac, les amies s'étendaient à
l'orée du champ. Des nuées orageuses leur proposaient de glissantes images; mais avant que Thérèse
ait eu le temps de distinguer la femme ailée qu'Anne
voyait dans le ciel, ce n'était déjà plus, disait la jeune
fille, qu'une étrange bête étendue.

En septembre, elles pouvaient sortir après la collation et pénétrer dans le pays de la soif : pas le moindre
filet d'eau à Argelouse; il faut marcher longtemps
dans le sable avant d'atteindre les sources du ruisseau appelé la Hure. Elles crèvent, nombreuses, un

bas-fond d'étroites prairies entre les racines des
aulnes. Les pieds nus des jeunes filles devenaient insensibles dans l'eau glaciale, puis, à peine secs, étaient de
nouveau brûlants. Une de ces cabanes, qui servent en
octobre aux chasseurs de palombes, les accueillait
comme naguère le salon obscur. Rien à se dire ; aucune
parole : les minutes fuyaient de ces longues haltes
innocentes sans que les jeunes filles songeassent plus
à bouger que ne bouge le chasseur lorsqu'à l'approche d'un vol, il fait le signe du silence. Ainsi leur semblait-il qu'un seul geste aurait fait fuir leur informe
et chaste bonheur. Anne, la première, s'étirait —
impatiente de tuer des alouettes au crépuscule ;
Thérèse, qui haïssait ce jeu, la suivait pourtant, insa-
tiable de sa présence. Anne décrochait dans le vestibule le calibre 24 qui ne repousse pas. Son amie,
demeurée sur le talus, la voyait au milieu du seigle
viser le soleil comme pour l'éteindre. Thérèse se
bouchait les oreilles ; un cri ivre s'interrompait dans
le bleu, et la chasseresse ramassait l'oiseau blessé,
le serrait d'une main précautionneuse et, tout en
caressant de ses lèvres les plumes chaudes, l'étouffait.

    " Tu viendras demain ?

— Oh! non; pas tous les jours. "

Elle ne souhaitait pas de la voir tous les jours;
parole raisonnable à laquelle il ne fallait rien opposer;
toute protestation eût paru, à Thérèse même, incompréhensible. Anne préférait ne pas revenir; rien ne
l'en eût empêchée sans doute; mais pourquoi se
voir tous les jours? "Elles finiraient, disait-elle,
par se prendre en grippe." Thérèse répondait :
"Oui... oui... surtout ne t'en fais pas une obligation :
reviens quand le cœur t'en dira... quand tu n'auras
rien de mieux." L'adolescente à bicyclette dispa-
raissait sur la route déjà sombre en faisant sonner son
grelot.

Thérèse revenait vers la maison; les métayers la
saluaient de loin; les enfants ne l'approchaient pas.
C'était l'heure où des brebis s'épandaient sous les
chênes et soudain elles couraient toutes ensemble,
et le berger criait. Sa tante la guettait sur le seuil et,
comme font les sourdes, parlait sans arrêt pour que
Thérèse ne lui parlât pas. Qu'était-ce donc que cette
angoisse? Elle n'avait pas envie de lire; elle n'avait
envie de rien; elle errait de nouveau : "Ne t'éloigne
pas : on va servir." Elle revenait au bord de la

route — vide aussi loin que pouvait aller son regard.
La cloche tintait au seuil de la cuisine. Peut-être
faudrait-il, ce soir, allumer la lampe. Le silence
n'était pas plus profond pour la sourde immobile
et les mains croisées sur la nappe, que pour cette
jeune fille un peu hagarde.

Bernard, Bernard, comment t'introduire dans ce
monde confus, toi qui appartiens à la race aveugle,
à la race implacable des simples? "Mais, songe
Thérèse, dès les premiers mots il m'interrompra :
"Pourquoi m'avez-vous épousé? je ne courais pas
après vous.... " Pourquoi l'avait-elle épousé? C'était
vrai qu'il n'avait montré aucune hâte. Thérèse se
souvient que la mère de Bernard, madame Victor de
la Trave, répétait à tout venant : "Il aurait bien
attendu, mais elle l'a voulu, elle l'a voulu, elle l'a
voulu. Elle n'a pas nos principes, malheureu-
sement; par exemple, elle fume comme un sapeur :
un genre qu'elle se donne; mais c'est une nature
très droite, franche comme l'or. Nous aurons vite
fait de la ramener aux idées saines. Certes, tout ne
nous sourit pas dans ce mariage. Oui... la grand-

mère Bellade... je sais bien... mais c'est oublié, n'est-ce pas? On peut à peine dire qu'il y ait eu scandale, tellement ça a été bien étouffé. Vous croyez à l'hérédité, vous? Le père pense mal, c'est entendu; mais il ne lui a donné que de bons exemples : c'est un saint laïque. Et il a le bras long. On a besoin de tout le monde. Enfin, il faut bien passer sur quelque chose. Et puis, vous me croirez si vous voulez : elle est plus riche que nous. C'est incroyable, mais c'est comme ça. Et en adoration devant Bernard, ce qui ne gâte rien. "

Oui, elle avait été en adoration devant lui : aucune attitude qui demandât moins d'effort. Dans le salon d'Argelouse ou sous les chênes au bord du champ, elle n'avait qu'à lever vers lui ses yeux que c'était sa science d'emplir de candeur amoureuse. Une telle proie à ses pieds flattait le garçon mais ne l'étonnait pas. "Ne joue pas avec elle, lui répétait sa mère, elle se ronge. "

" Je l'ai épousé parce que.... " Thérèse, les sourcils froncés, une main sur ses yeux, cherche à se souvenir. Il y avait cette joie puérile de devenir, par ce mariage,

la belle-sœur d'Anne. Mais c'était Anne surtout qui
en éprouvait de l'amusement; pour Thérèse, ce lien
ne comptait guère. Au vrai, pourquoi en rougir?
Les deux mille hectares de Bernard ne l'avaient pas
laissée indifférente. " Elle avait toujours eu la propriété dans le sang. " Lorsque après les longs repas,
sur la table desservie on apporte l'alcool, Thérèse
était restée souvent avec les hommes, retenue par
leurs propos touchant les métayers, les poteaux de
mine, la gemme, la térébenthine. Les évaluations de
propriétés la passionnaient. Nul doute que cette
domination sur une grande étendue de forêt l'ait
séduite : " Lui aussi, d'ailleurs, était amoureux de
mes pins.... " Mais Thérèse avait obéi peut-être à
un sentiment plus obscur qu'elle s'efforce de mettre
à jour : peut-être cherchait-elle moins dans le mariage
une domination, une possession, qu'un refuge. Ce
qui l'y avait précipitée, n'était-ce pas une panique?
Petite fille pratique, enfant ménagère, elle avait
hâte d'avoir pris son rang, trouvé sa place défini-
tive; elle voulait être rassurée contre elle ne savait
quel péril. Jamais elle ne parut si raisonnable qu'à
l'époque de ses fiançailles : elle s'incrustait dans un

bloc familial, " elle se casait " ; elle entrait dans un
ordre. Elle se sauvait.

Ils suivaient, en ce printemps de leurs fiançailles,
ce chemin de sable qui va d'Argelouse à Vilméja.
Les feuilles mortes des chênes salissaient encore
l'azur; les fougères sèches jonchaient le sol que per-
çaient les nouvelles crosses, d'un vert acide. Bernard
disait : " Faites attention à votre cigarette; ça peut
brûler encore; il n'y a plus d'eau dans la lande. "
Elle avait demandé : " Est-ce vrai que les fougères
contiennent de l'acide prussique? " Bernard ne
savait pas si elles en contenaient assez pour qu'on
pût s'empoisonner. Il l'avait interrogée tendrement :
" Vous avez envie de mourir? " Elle avait ri. Il
avait émis le vœu qu'elle devînt plus simple. Thérèse
se souvient qu'elle avait fermé les yeux, tandis que
deux grandes mains enserraient sa petite tête, et
qu'une voix disait contre son oreille : " Il y a là
encore quelques idées fausses. " Elle avait répondu :
" A vous de les détruire, Bernard. " Ils avaient
observé le travail des maçons qui ajoutaient une
chambre à la métairie de Vilméja. Les propriétaires,

des Bordelais, y voulaient installer leur dernier fils
" qui s'en allait de la poitrine ". Sa sœur était morte
du même mal. Bernard éprouvait beaucoup de
dédain pour ces Azévédo : " Ils jurent leurs grands
dieux qu'ils ne sont pas d'origine juive... mais on n'a
qu'à les voir. Et avec ça, tuberculeux; toutes les
maladies.... " Thérèse était calme. Anne reviendrait
du couvent de Saint-Sébastien pour le mariage. Elle
devait quêter avec le fils Deguilhem. Elle avait
demandé à Thérèse de lui décrire " par retour du
courrier " les robes des autres demoiselles d'honneur :
" Ne pourrait-elle en avoir des échantillons? C'était
leur intérêt à toutes de choisir des tons qui fussent
accordés.... " Jamais Thérèse ne connut une telle
paix, — ce qu'elle croyait être la paix et qui n'était
que le demi-sommeil, l'engourdissement de ce rep-
tile dans son sein.

IV

Le jour étouffant des noces, dans l'étroite église
de Saint-Clair où le caquetage des dames couvrait
l'harmonium à bout de souffle et où leurs odeurs
triomphaient de l'encens, ce fut ce jour-là que Thérèse se sentit perdue. Elle était entrée somnambule
dans la cage et, au fracas de la lourde porte refermée,
soudain la misérable enfant se réveillait. Rien de
changé, mais elle avait le sentiment de ne plus pouvoir désormais se perdre seule. Au plus épais d'une
famille, elle allait couver, pareille à un feu sournois
qui rampe sous la brande, embrase un pin, puis l'autre,
puis de proche en proche crée une forêt de torches.
Aucun visage sur qui reposer ses yeux, dans cette
foule, hors celui d'Anne; mais la joie enfantine de la
jeune fille l'isolait de Thérèse : sa joie! Comme si elle
eût ignoré qu'elles allaient être séparées le soir

même, et non seulement dans l'espace; à cause aussi
de ce que Thérèse était au moment de souffrir, —
de ce que son corps innocent allait subir d'irrémé-
diable. Anne demeurait sur la rive où attendent les
êtres intacts; Thérèse allait se confondre avec le troupeau de celles qui ont servi. Elle se rappelle qu'à la
sacristie, comme elle se penchait pour baiser ce petit
visage hilare levé vers le sien, elle perçut soudain ce
néant autour de quoi elle avait créé un univers de
douleurs vagues et de vagues joies; elle découvrit,
l'espace de quelques secondes, une disproportion
infinie entre ces forces obscures de son cœur et la
gentille figure barbouillée de poudre.

Longtemps après ce jour, à Saint-Clair et à B.,
les gens ne s'entretinrent jamais de ces noces de
Gamache (où plus de cent métayers et domestiques
avaient mangé et bu sous les chênes) sans rappeler
que l'épouse, " qui sans doute n'est pas régulière-
ment jolie mais qui est le charme même ", parut à tous,
ce jour-là, laide et même affreuse : " Elle ne se res-
semblait pas, c'était une autre personne.... " Les gens
virent seulement qu'elle était différente de son appa-
rence habituelle; ils incriminèrent la toilette blanche,

la chaleur; ils ne reconnurent pas son vrai visage.

Au soir de cette noce mi-paysanne, mi-bourgeoise, des groupes où éclataient les robes des filles obligèrent l'auto des époux à ralentir, et on les acclamait. Ils dépassèrent, sur la route jonchée de fleurs d'acacia, des carrioles zigzagantes, conduites par des drôles qui avaient bu. Thérèse, songeant à la nuit qui vint ensuite, murmure : " Ce fut horrible... " puis se reprend : " Mais non... pas si horrible.... " Durant ce voyage aux lacs italiens, a-t-elle beaucoup souffert? Non, non; elle jouait à ce jeu : ne pas se trahir. Un fiancé se dupe aisément; mais un mari! N'importe qui sait proférer des paroles menteuses; les mensonges du corps exigent une autre science. Mimer le désir, la joie, la fatigue bienheureuse, cela n'est pas donné à tous. Thérèse sut plier son corps à ces feintes et elle y goûtait un plaisir amer. Ce monde inconnu de sensations où un homme la forçait de pénétrer, son imagination l'aidait à concevoir qu'il y aurait eu là, pour elle aussi peut-être, un bonheur possible, — mais quel bonheur? Comme devant un paysage enseveli sous la pluie, nous nous représentons ce qu'il eût été dans le soleil, ainsi Thérèse découvrait la volupté.

Bernard, ce garçon au regard désert, toujours inquiet de ce que les numéros des tableaux ne correspondaient pas à ceux du Bædeker, satisfait d'avoir vu dans le moins de temps possible ce qui était à voir, quelle facile dupe! Il était enfermé dans son plaisir comme ces jeunes porcs charmants qu'il est drôle de regarder à travers la grille, lorsqu'ils reniflent de bonheur dans une auge (" c'était moi, l'auge ", songe Thérèse). Il avait leur air pressé, affairé, sérieux; il était méthodique. " Vous croyez vraiment que cela est sage? " risquait parfois Thérèse stupéfaite. Il riait, la rassurait. Où avait-il appris à classer tout ce qui touche à la chair, — à distinguer les caresses de l'honnête homme de celles du sadique? Jamais une hésitation. Un soir, à Paris où, sur le chemin du retour, ils s'arrêtèrent, Bernard quitta ostensiblement un music-hall dont le spectacle l'avait choqué : " Dire que les étrangers voient ça! Quelle honte! Et c'est là-dessus qu'on nous juge.... " Thérèse admirait que cet homme pudique fût le même dont il lui faudrait subir, dans moins d'une heure, les patientes inventions de l'ombre.

" Pauvre Bernard — non pire qu'un autre! Mais

le désir transforme l'être qui nous approche en un
monstre qui ne lui ressemble pas. Rien ne nous sépare
plus de notre complice que son délire : j'ai toujours
vu Bernard s'enfoncer dans le plaisir, — et moi, je
faisais la morte, comme si ce fou, cet épileptique, au
moindre geste eût risqué de m'étrangler. Le plus
souvent, au bord de sa dernière joie, il découvrait
soudain sa solitude; le morne acharnement s'interrompait. Bernard revenait sur ses pas et me retrouvait comme sur une plage où j'eusse été rejetée, les
dents serrées, froide. "

Une seule lettre d'Anne : la petite n'aimait guère
écrire; — mais, par miracle, il n'en était pas une ligne
qui ne plût à Thérèse : une lettre exprime bien moins
nos sentiments réels que ceux qu'il faut que nous
éprouvions pour qu'elle soit lue avec joie. Anne se
plaignait de ne pouvoir aller du côté de Vilméja
depuis l'arrivée du fils Azévédo; elle avait vu de loin
sa chaise longue dans les fougères; les phtisiques
lui faisaient horreur.

Thérèse relisait souvent ces pages et n'en attendait
point d'autres. Aussi fut-elle, à l'heure du courrier,

fort surprise (le matin qui suivit cette soirée interrompue au music-hall) de reconnaître sur trois enveloppes l'écriture d'Anne de la Trave. Diverses
" poſtes reſtantes " leur avaient fait parvenir à Paris ce
paquet de lettres, car ils avaient brûlé plusieurs étapes :
" pressés, disait Bernard, de retrouver leur nid " ; —
mais au vrai parce qu'ils n'en pouvaient plus d'être
ensemble : lui périssait d'ennui loin de ses fusils, de
ses chiens, de l'auberge où le Picon grenadine a un
goût qu'il n'a pas ailleurs ; et puis cette femme si
froide, si moqueuse, qui ne montre jamais son plaisir,
qui n'aime pas causer de ce qui eſt intéressant !...
Pour Thérèse, elle souhaitait de rentrer à Saint-Clair
comme une déportée qui s'ennuie dans un cachot
provisoire, eſt curieuse de connaître l'île où doit se
consumer ce qui lui reſte de vie. Thérèse avait déchif-
fré avec soin la date imprimée sur chacune des trois
enveloppes ; et déjà elle ouvrait la plus ancienne,
lorsque Bernard poussa une exclamation, cria quelques paroles dont elle ne comprit pas le sens, car la
fenêtre était ouverte et les autobus changeaient de
vitesse à ce carrefour. Il s'était interrompu de se
raser pour lire une lettre de sa mère. Thérèse voit

encore le gilet de cellular, les bras nus musculeux;
cette peau blême et soudain le rouge cru du cou et
de la face. Déjà régnait, en ce matin de juillet, une
chaleur sulfureuse; le soleil enfumé rendait plus sales,
au-delà du balcon, les façades mortes. Il s'était rapproché de Thérèse; il criait : " Celle-là est trop forte!
Eh bien! ton amie Anne, elle va fort. Qui aurait dit
que ma petite sœur.... "

Et comme Thérèse l'interrogeait du regard :

" Crois-tu qu'elle s'est amourachée du fils Azévédo? Oui, parfaitement : cet espèce de phtisique
pour lequel ils avaient fait agrandir Vilméja.... Mais
si : ça a l'air très sérieux.... Elle dit qu'elle tiendra
jusqu'à sa majorité.... Maman écrit qu'elle est complè-
tement folle. Pourvu que les Deguilhem ne le sachent
pas! Le petit Deguilhem serait capable de ne pas faire
sa demande. Tu as des lettres d'elle? Enfin, nous allons
savoir.... Mais ouvre-les donc.

— Je veux les lire dans l'ordre. D'ailleurs, je ne
saurais te les montrer. "

Il la reconnaissait bien là; elle compliquait toujours tout. Enfin l'essentiel était qu'elle ramenât la
petite à la raison :

" Mes parents comptent sur toi : tu peux tout
sur elle... si... si!... Ils t'attendent comme leur
salut. "

Pendant qu'elle s'habillait, il allait lancer un
télégramme et retenir deux places dans le sud-
express. Elle pouvait commencer à garnir le fond
des malles :

" Qu'est-ce que tu attends pour lire les lettres de la
petite?

— Que tu ne sois plus là. "

Longtemps après qu'il eut refermé la porte, Thérèse était demeurée étendue fumant des cigarettes,
les yeux sur les grandes lettres d'or noirci, fixées au
balcon d'en face; puis elle avait déchiré la première
enveloppe. Non, non; ce n'était pas cette chère petite
idiote, ce ne pouvait être cette couventine à l'esprit
court qui avait inventé ces paroles de feu. Ce ne pouvait être de ce cœur sec — car elle avait le cœur sec :
Thérèse le savait peut-être! — qu'avait jailli ce can-
tique des cantiques, cette longue plainte heureuse
d'une femme possédée, d'une chair presque morte de
joie, dès la première atteinte :

... Lorsque je l'ai rencontré, je ne pouvais croire que ce fût lui : il jouait à courir avec le chien en poussant des cris. Comment aurais-je pu imaginer que c'était ce grand malade... mais il n'est pas malade : on prend seulement des précautions, à cause des malheurs qu'il y a eu dans sa famille. Il n'est pas même frêle, — mince plutôt; et puis habitué à être gâté, dorloté.... Tu ne me reconnaîtrais pas : c'est moi qui vais chercher sa pèlerine, dès que la chaleur tombe....

Si Bernard était rentré à cette minute dans la chambre, il se fût aperçu que cette femme assise sur le lit n'était pas sa femme, mais un être inconnu de lui, une créature étrangère et sans nom. Elle jeta sa cigarette, déchira une seconde enveloppe :

... J'attendrai le temps qu'il faudra; aucune résistance ne me fait peur; mon amour ne le sent même pas. Ils me retiennent à Saint-Clair, mais Argelouse n'est pas si éloigné que Jean et moi ne puissions nous rejoindre. Tu te rappelles la palombière? C'est toi, ma chérie, qui as d'avance choisi les lieux où je devais connaître une joie telle.... Oh! surtout ne va pas croire que nous fassions rien de mal. Il est si délicat! Tu n'as aucune idée d'un garçon de cette espèce.

Il a beaucoup étudié, beaucoup lu, comme toi : mais chez un jeune homme, ça ne m'agace pas, et je n'ai jamais songé à le taquiner. Que ne donnerais-je pour être aussi savante que tu l'es! Chérie, quel est donc ce bonheur que tu possèdes aujourd'hui et que je ne connais pas encore, pour que la seule approche en soit un tel délice? Lorsque dans la cabane des palombes, où tu voulais toujours que nous emportions notre goûter, je demeure auprès de lui, je sens le bonheur en moi, pareil à quelque chose que je pourrais toucher. Je me dis qu'il existe pourtant une joie au-delà de cette joie; et quand Jean s'éloigne, tout pâle, le souvenir de nos caresses, l'attente de ce qui va être le lendemain, me rend sourde aux plaintes, aux supplications, aux injures de ces pauvres gens qui ne savent pas... qui n'ont jamais su.... Chérie, pardonne-moi : je te parle de ce bonheur comme si tu ne le connaissais pas non plus; pourtant je ne suis qu'une novice auprès de toi : aussi suis-je bien sûre que tu seras avec nous contre ceux qui nous font du mal....

Thérèse déchira la troisième enveloppe; quelques mots seulement griffonnés :

Viens, ma chérie : ils nous ont séparés : on me garde à vue. Ils croient que tu te rangeras de leur côté. J'ai dit

que je m'en remettrais à ton jugement. Je t'expliquerai
tout : il n'est pas malade.... Je suis heureuse et je souffre.
Je suis heureuse de souffrir à cause de lui et j'aime sa dou-
leur comme le signe de l'amour qu'il a pour moi....

Thérèse ne lut pas plus avant. Comme elle glissait
le feuillet dans l'enveloppe, elle y aperçut une photographie qu'elle n'avait pas vue d'abord. Près de la
fenêtre, elle contempla ce visage : c'était un jeune
garçon dont la tête, à cause des cheveux épais, semblait trop forte. Thérèse, sur cette épreuve, reconnut
l'endroit : ce talus où Jean Azévédo se dressait, pareil
à David (il y avait derrière une lande où pacageaient
des brebis). Il portait sa veste sur le bras; sa chemise
était un peu ouverte... " c'est ce qu'il appelle la dernière caresse permise... ". Thérèse leva les yeux et
fut étonnée de sa figure dans la glace. Il lui fallut
un effort pour desserrer les dents, avaler sa salive.
Elle frotta d'eau de Cologne ses tempes, son front.
" Elle connaît cette joie... et moi, alors? et moi?
pourquoi pas moi? " La photographie était restée
sur la table; tout auprès luisait une épingle....

" J'ai fait cela. C'est moi qui ai fait cela.... " Dans

le train cahotant et qui, à une descente, se précipite,
Thérèse répète : " Il y a deux ans déjà, dans cette
chambre d'hôtel, j'ai pris l'épingle, j'ai percé la photographie de ce garçon à l'endroit du cœur, — non
pas furieusement, mais avec calme et comme s'il
s'agissait d'un acte ordinaire; — aux lavabos, j'ai
jeté la photographie ainsi transpercée; j'ai tiré la
chasse d'eau. "

Lorsque Bernard était rentré, il avait admiré qu'elle
fût grave, comme une personne qui a beaucoup
réfléchi, et même arrêté déjà un plan de conduite.
Mais elle avait tort de tant fumer : elle s'intoxiquait!
A entendre Thérèse, il ne fallait pas donner trop
d'importance aux caprices d'une petite fille. Elle se
faisait fort de l'éclairer.... Bernard souhaitait que
Thérèse le rassurât, — tout à la joie de sentir dans
sa poche les billets de retour; flatté surtout de ce
que les siens avaient déjà recours à sa femme. Il
l'avertit que ça coûterait ce que ça coûterait mais que
pour le dernier déjeuner de leur voyage, ils iraient
à quelque restaurant du Bois. Dans le taxi, il parla
de ses projets pour l'ouverture de la chasse; il avait

hâte d'essayer ce chien que Balion dressait pour lui.
Sa mère écrivait que grâce aux pointes de feu, la
jument ne boitait plus.... Peu de monde encore à ce
restaurant dont le service innombrable les intimi-
dait. Thérèse se souvient de cette odeur : géranium
et saumure. Bernard n'avait jamais bu de vin du
Rhin : " Pristi, ils ne le donnent pas. " Mais ça n'était
pas tous les jours fête. La carrure de Bernard dissi-
mulait à Thérèse la salle. Derrière les grandes glaces,
glissaient, s'arrêtaient des autos silencieuses. Elle
voyait, près des oreilles de Bernard, remuer ce
qu'elle savait être les muscles temporaux. Tout de
suite après les premières lampées, il devint trop
rouge : beau garçon campagnard auquel manquait
seulement, depuis des semaines, l'espace où brûler
sa ration quotidienne de nourriture et d'alcool. Elle
ne le haïssait pas; mais quel désir d'être seule pour
penser à sa souffrance, pour chercher l'endroit où
elle souffrait! Simplement qu'il ne soit plus là; qu'elle
puisse ne pas se forcer à manger, à sourire; qu'elle
n'ait plus ce souci de composer son visage, d'éteindre
son regard; que son esprit se fixe librement sur ce
désespoir mystérieux : une créature s'évade hors de

l'île déserte où tu imaginais qu'elle vivrait près de
toi jusqu'à la fin; elle franchit l'abîme qui te sépare
des autres, les rejoint, — change de planète enfin...
mais non : quel être a jamais changé de planète?
Anne avait toujours appartenu au monde des simples vivants; ce n'était qu'un fantôme dont Thérèse
autrefois regardait la tête endormie sur ses genoux,
durant leurs vacances solitaires : la véritable Anne de
la Trave, elle ne l'a jamais connue : celle qui rejoint,
aujourd'hui, Jean Azévédo dans une palombière
abandonnée entre Saint-Clair et Argelouse.

 " Qu'est-ce que tu as? Tu ne manges pas? Il ne
faut pas leur en laisser : au prix que ça coûte, ce
serait dommage. C'est la chaleur? Tu ne vas pas
tourner l'œil? A moins que ce soit un malaise... déjà. "

 Elle sourit; sa bouche seule souriait. Elle dit
qu'elle réfléchissait à cette aventure d'Anne (il fallait qu'elle parlât d'Anne). Et comme Bernard décla-
rait être bien tranquille, du moment qu'elle avait
pris l'affaire en main, la jeune femme lui demanda
pourquoi ses parents étaient hostiles à ce mariage.
Il crut qu'elle se moquait de lui, la supplia de ne pas
commencer à soutenir des paradoxes :

« D'abord, tu sais bien qu'ils sont juifs : maman a connu le grand-père Azévédo, celui qui avait refusé le baptême. »

Mais Thérèse prétendait qu'il n'y avait rien de plus ancien à Bordeaux que ces noms d'israélites portugais :

« Les Azévédo tenaient déjà le haut du pavé lorsque nos ancêtres, bergers misérables, grelottaient de fièvre au bord de leurs marécages.

— Voyons, Thérèse, ne discute pas pour le plaisir de discuter; tous les juifs se valent... et puis c'est une famille de dégénérés, — tuberculeux jusqu'à la moelle, tout le monde le sait. »

Elle alluma une cigarette, d'un geste qui toujours avait choqué Bernard :

« Rappelle-moi donc de quoi est mort ton grand-père, ton arrière-grand-père? Tu t'es inquiété de savoir, en m'épousant, quelle maladie a emporté ma mère? Crois-tu que chez nos ascendants nous ne trouverions pas assez de tuberculeux et de syphilitiques pour empoisonner l'univers?

— Tu vas trop loin, Thérèse, permets-moi de te le dire: même en plaisantant et pour me faire grimper, tu ne dois pas toucher à la famille. "

Il se rengorgeait, vexé, — voulant à la fois le
prendre de haut et ne pas paraître ridicule à Thérèse.
Mais elle insistait :

" Nos familles me font rire avec leur prudence de
taupes! cette horreur des tares apparentes n'a d'égale
que leur indifférence à celles, bien plus nombreuses,
qui ne sont pas connues.... Toi-même, tu emploies
pourtant cette expression : maladies secrètes... non?
Les maladies les plus redoutables pour la race ne
sont-elles pas secrètes par définition? nos familles
n'y songent jamais, elles qui s'entendent si bien,
pourtant, à recouvrir, à ensevelir leurs ordures :
sans les domestiques, on ne saurait jamais rien. Heureusement qu'il y a les domestiques....

— Je ne te répondrai pas : quand tu te lances,
le mieux est d'attendre que ce soit fini. Avec moi, il
n'y a que demi-mal : je sais que tu t'amuses. Mais à
la maison, tu sais, ça ne prendrait pas. Nous ne plai-
santons pas sur le chapitre de la famille. "

La famille! Thérèse laissa éteindre sa cigarette;
l'œil fixe, elle regardait cette cage aux barreaux
innombrables et vivants, cette cage tapissée d'oreilles

et d'yeux, où, immobile, accroupie, le menton aux
genoux, les bras entourant ses jambes, elle attendrait de mourir.

" Voyons, Thérèse, ne fais pas cette figure : si
tu te voyais.... "

Elle sourit, se remasqua :

" Je m'amusais.... Que tu es nigaud, mon chéri. "

Mais dans le taxi, comme Bernard se rapprochait
d'elle, sa main l'éloignait, le repoussait.

Ce dernier soir avant le retour au pays, ils se cou-
chèrent dès neuf heures. Thérèse avala un cachet,
mais elle attendait trop le sommeil pour qu'il vînt.
Un instant, son esprit sombra jusqu'à ce que Bernard,
dans un marmonnement incompréhensible, se fût
retourné; alors elle sentit contre elle ce grand corps
brûlant; elle le repoussa et, pour n'en plus subir le
feu, s'étendit sur l'extrême bord de la couche; mais,
après quelques minutes, il roula de nouveau vers
elle comme si la chair en lui survivait à l'esprit
absent et, jusque dans le sommeil, cherchait confusément sa proie accoutumée. D'une main brutale
et qui pourtant ne l'éveilla pas, de nouveau
elle l'écarta.... Ah! l'écarter une fois pour toutes

et à jamais! le précipiter hors du lit, dans les ténèbres.

A travers le Paris nocturne, les trompes d'autos se répondaient comme à Argelouse les chiens, les coqs, lorsque la lune luit. Aucune fraîcheur ne montait de la rue. Thérèse alluma une lampe et, le coude sur l'oreiller, regarda cet homme immobile à côté d'elle, — cet homme dans sa vingt-septième année : il avait repoussé les couvertures; sa respiration ne s'entendait même pas; ses cheveux ébouriffés recouvraient son front pur encore, sa tempe sans ride. Il dormait, Adam désarmé et nu, d'un sommeil profond et comme éternel. La femme ayant rejeté sur ce corps la couverture, se leva, chercha une des lettres dont elle avait interrompu la lecture, s'approcha de la lampe :

... S'il me disait de le suivre, je quitterais tout sans tourner la tête. Nous nous arrêtons au bord, à l'extrême bord de la dernière caresse, mais par sa volonté, non par ma résistance; — ou plutôt c'est lui qui me résiste, et moi qui souhaiterais d'atteindre ces extrémités inconnues dont il me répète que la seule approche dépasse toutes les joies; à

*l'entendre, il faut toujours demeurer en deçà; il est fier de
freiner sur des pentes où il dit qu'une fois engagés, les autres
glissent irrésistiblement....*

Thérèse ouvrit la croisée, déchira les lettres en
menus morceaux, penchée sur le gouffre de pierre
qu'un seul tombereau, à cette heure avant l'aube,
faisait retentir. Les fragments de papier tourbillon-
naient, se posaient sur les balcons des étages infé-
rieurs. L'odeur végétale que respirait la jeune femme,
quelle campagne l'envoyait jusqu'à ce désert de bitu-
me? Elle imaginait la tache de son corps en bouillie
sur la chaussée, — et à l'entour ce remous d'agents,
de rôdeurs.... Trop d'imagination pour te tuer, Thérèse. Au vrai, elle ne souhaitait pas de mourir; un
travail urgent l'appelait, non de vengeance, ni de
haine : mais cette petite idiote, là-bas, à Saint-Clair,
qui croyait le bonheur possible, il fallait qu'elle sût,
comme Thérèse, que le bonheur n'existe pas. Si elles ne
possèdent rien d'autre en commun, qu'elles aient au
moins cela : l'ennui, l'absence de toute tâche haute, de
tout devoir supérieur, l'impossibilité de rien attendre
que les basses habitudes quotidiennes, — un isolement

sans consolations. L'aube éclairait les toits; elle rejoignit sur sa couche l'homme immobile; mais dès
qu'elle fut étendue près de lui, déjà il se rapprochait.

Elle se réveilla lucide, raisonnable. Qu'allait-elle
chercher si loin? Sa famille l'appelait au secours, elle
agirait selon ce qu'exigeait sa famille; ainsi serait-elle
sûre de ne point dévier. Thérèse approuvait Bernard
lorsqu'il répétait que si Anne manquait le mariage
Deguilhem, ce serait un désastre. Les Deguilhem ne
sont pas de leur monde : le grand-père était berger....
Oui, mais ils ont les plus beaux pins du pays; et Anne,
après tout, n'est pas si riche : rien à attendre du côté
de son père que des vignes dans le palus, près de
Langon, — inondées une année sur deux. Il ne fallait
à aucun prix qu'Anne manquât le mariage Deguilhem.
L'odeur du chocolat dans la chambre écœurait Thérèse; ce léger malaise confirmait d'autres signes :
enceinte, déjà. " Il vaut mieux l'avoir tout de suite, dit
Bernard, après, on n'aura plus à y penser. " Et il
contemplait avec respect la femme qui portait dans ses
flancs le maître unique de pins sans nombre.

V

Saint-Clair, bientôt! Saint-Clair.... Thérèse mesure
de l'œil le chemin qu'a parcouru sa pensée. Obtien-
dra-t-elle que Bernard la suive jusque-là? Elle n'ose
espérer qu'il consente à cheminer à pas si lents sur
cette route tortueuse; pourtant rien n'est dit de l'essentiel : " Quand j'aurai atteint avec lui ce défilé où me
voilà, tout me restera encore à découvrir. " Elle se
penche sur sa propre énigme, interroge la jeune bour-
geoise mariée dont chacun louait la sagesse, lors de
son établissement à Saint-Clair, ressuscite les premières semaines vécues dans la maison fraîche et
sombre de ses beaux-parents. Du côté de la grand-
place les volets en sont toujours clos; mais, à gauche,
une grille livre aux regards le jardin embrasé d'héliotropes, de géraniums, de pétunias. Entre le couple la
Trave embusqué au fond d'un petit salon ténébreux,

au rez-de-chaussée, et Anne errant dans ce jardin d'où il lui était interdit de sortir, Thérèse allait et venait, confidente, complice. Elle disait aux la Trave : " Donnez-vous les gants de céder un peu, offrez-lui de voyager avant de prendre aucune décision : j'obtiendrai qu'elle vous obéisse sur ce point; pendant votre absence, j'agirai. " Comment? Les la Trave entrevoyaient qu'elle lierait connaissance avec le jeune Azévédo : " Vous ne pouvez rien attendre d'une attaque directe, ma mère. " A en croire madame de la Trave, rien n'avait transpiré encore, Dieu merci. La receveuse, mademoiselle Monod, était seule dans la confidence; elle avait arrêté plusieurs lettres d'Anne : " mais cette fille, c'est un tombeau. D'ailleurs, nous la tenons... elle ne jasera pas. "

" Tâchons de la faire souffrir le moins possible... " répétait Hector de la Trave; mais lui, qui naguère cédait aux plus absurdes caprices d'Anne, ne pouvait qu'approuver sa femme, disant : " On ne fait pas d'omelette sans casser les œufs... " et encore : " Elle nous remerciera un jour. " Oui, mais d'ici là, ne tomberait-elle pas malade? Les deux époux se taisaient, l'œil vague; sans doute suivaient-ils en esprit,

dans le grand soleil, leur enfant consumée, à qui faisait horreur toute nourriture : elle écrase des fleurs
qu'elle ne voit pas, longe les grilles à pas de biche,
cherchant une issue.... Madame de la Trave secouait la
tête : " Je ne peux pourtant pas boire son jus de viande
à sa place, n'est-ce pas ? Elle se gave de fruits au jardin,
afin de pouvoir laisser pendant le repas son assiette
vide. " Et Hector de la Trave : " Elle nous repro-
cherait plus tard d'avoir donné notre consentement....
Et quand ce ne serait qu'à cause des malheureux
qu'elle mettrait au monde.... " Sa femme lui en voulait de ce qu'il avait l'air de chercher des excuses :
" Heureusement que les Deguilhem ne sont pas
rentrés. Nous avons la chance qu'ils tiennent à ce
mariage comme à la prunelle de leurs yeux.... " Ils
attendaient que Thérèse eût quitté la salle, pour se
demander l'un à l'autre : " Mais qu'est-ce qu'on lui
a fourré dans la tête au couvent ? Ici, elle n'a eu que
de bons exemples ; nous avons surveillé ses lectures....
Thérèse dit qu'il n'y a rien de pire, pour tourner la
tête aux jeunes filles, que les romans d'amour de
l'œuvre des bons livres... mais elle est tellement para-
doxale.... D'ailleurs Anne, Dieu merci, n'a pas la

manie de lire; je n'ai jamais eu d'observations à lui
faire sur ce point. En cela, elle est bien une femme de
la famille. Au fond, si nous pouvions arriver à la
changer d'air.... Tu te rappelles comme Salies lui avait
fait du bien après cette rougeole compliquée de bron-
chite? Nous irons où elle voudra, je ne peux pas
mieux dire. Voilà une enfant bien à plaindre, en
vérité. " M. de la Trave soupirait à mi-voix : " Oh!
un voyage avec nous.... Rien! rien! " répondait-il à sa
femme qui, un peu sourde, l'interrogeait : " Qu'est-ce
que tu as dit? " Du fond de cette fortune où il avait
fait son trou, quel voyage d'amour se rappelait ce
vieil homme, soudain, quelles heures bénies de sa
jeunesse amoureuse?

Au jardin, Thérèse avait rejoint la jeune fille dont
les robes de l'année dernière étaient devenues trop
larges : " Eh bien? " criait Anne dès qu'approchait
son amie. Cendre des allées, prairies sèches et cris-
santes, odeur des géraniums grillés, et cette jeune
fille plus consumée, dans l'après-midi d'août, qu'aucune plante, il n'est rien que Thérèse ne retrouve dans
son cœur. Quelquefois des averses orageuses les

obligeaient à s'abriter dans la serre; les grêlons faisaient retentir les vitres.

" Qu'est-ce que cela te fait de partir, puisque tu ne
e vois pas?

— Je ne le vois pas, mais je sais qu'il respire à dix
kilomètres d'ici. Quand le vent souffle de l'Est, je
sais qu'il entend la cloche en même temps que moi.
Ça te serait-il égal que Bernard fût à Argelouse ou à
Paris? Je ne vois pas Jean, mais je sais qu'il n'est pas
loin. Le dimanche, à la messe, je n'essaie même pas
de tourner la tête, puisque de nos places, l'autel seul
est visible, et qu'un pilier nous isole de l'assistance.
Mais à la sortie....

— Il n'y était pas dimanche? "

Thérèse le savait, elle savait qu'Anne entraînée
par sa mère avait en vain cherché dans la foule un
visage absent.

" Peut-être était-il malade.... On arrête ses lettres;
ne peux rien savoir.

— C'est tout de même étrange qu'il ne trouve pas
e moyen de faire passer un mot.

— Si tu voulais, Thérèse.... Oui, je sais bien que
ta position est délicate....

— Consens à ce voyage, et pendant ton absence, peut-être....

— Je ne peux pas m'éloigner de lui.

— De toutes façons il s'en ira, ma chérie. Dans quelques semaines il quittera Argelouse.

— Ah! tais-toi. C'est une pensée insoutenable. Et pas un mot de lui pour m'aider à vivre. J'en meurs déjà : il faut qu'à chaque instant je me rappelle ses paroles qui m'avaient donné le plus de joie; mais à force de me les répéter, je n'arrive plus à être bien sûre qu'il les ait dites en effet; tiens, celle-ci, à notre dernière entrevue, je crois l'entendre encore : " Il n'y a personne dans ma vie que vous.... " Il a dit ça, à moins que ce soit : " Vous êtes ce que j'ai de plus cher dans ma vie.... " Je ne peux me rappeler exactement. "

Les sourcils froncés, elle cherchait l'écho de la parole consolatrice dont elle élargissait le sens à l'infini.

" Enfin, comment est-il, ce garçon?

— Tu ne peux pas imaginer.

— Il ressemble si peu aux autres?

— Je voudrais te le peindre... mais il est tellement au-delà de ce que je saurais dire.... Après tout peut-être le jugerais-tu très ordinaire.... Mais je suis bien sûre que non. "

Elle ne distinguait plus rien de particulier dans le jeune homme éblouissant de tout l'amour qu'elle lui portait. " Moi, songeait Thérèse, la passion me rendrait plus lucide; rien ne m'échapperait de l'être dont j'aurais envie. "

" Thérèse, si je me résignais à ce voyage, tu le verrais, tu me rapporterais ses paroles? Tu lui ferais passer mes lettres? Si je pars, si j'ai le courage de partir.... "

Thérèse quittait le royaume de la lumière et du feu et pénétrait de nouveau, comme une guêpe sombre, dans le bureau où les parents attendaient que la chaleur fût tombée et que leur fille fût réduite. Il fallut beaucoup de ces allées et venues pour décider enfin Anne au départ. Et sans doute Thérèse n'y fût-elle jamais parvenue sans le retour imminent des Deguilhem. Elle tremblait devant ce nouveau péril. Thérèse lui répétait que pour un garçon si riche " il n'était pas mal, ce Deguilhem ".

" Mais, Thérèse, je l'ai à peine regardé : il a des lorgnons, il est chauve, c'est un vieux.

— Il a vingt-neuf ans....

— C'est ce que je dis : c'est un vieux; — et puis, vieux ou pas vieux.... "

Au repas du soir, les la Trave parlaient de Biarritz, s'inquiétaient d'un hôtel. Thérèse observait Anne, ce corps immobile et sans âme. " Force-toi un peu... on se force ", répétait madame de la Trave. D'un geste d'automate, Anne approchait la cuiller de sa bouche. Aucune lumière dans les yeux. Rien ni personne pour elle n'existait, hors cet absent. Un sourire parfois errait sur ses lèvres, au souvenir d'une parole entendue, d'une caresse reçue, à l'époque où dans une cabane de brandes, la main trop forte de Jean Azévédo déchirait un peu sa blouse. Thérèse regardait le buste de Bernard penché sur l'assiette : comme il était assis à contre-jour, elle ne voyait pas sa face; mais elle entendait cette lente mastication, cette rumination de la nourriture sacrée. Elle quittait la table. Sa belle-mère disait : " Elle aime mieux qu'on ne s'en aperçoive pas. Je voudrais la dorloter, mais elle n'aime pas à être soignée. Ses malaises, c'est le moins qu'on puisse avoir dans son état. Mais elle a

beau dire : elle fume trop. " Et la dame rappelait
des souvenirs de grossesse : " Je me souviens que
quand je t'attendais, je devais respirer une balle
de caoutchouc : il n'y avait que ça pour me remettre
l'estomac en place. "

" Thérèse, où es-tu?
— Ici, sur le banc.
— Ah! oui : je vois ta cigarette. "
Anne s'asseyait, appuyait sa tête contre une épaule
immobile, regardait le ciel, disait : " Il voit ces étoiles,
il entend l'angélus.... " Elle disait encore : " Em-
brasse-moi, Thérèse. " Mais Thérèse ne se penchait
pas vers cette tête confiante. Elle demandait seulement :
" Tu souffres?
— Non, ce soir, je ne souffre pas : j'ai compris
que, d'une façon ou de l'autre, je le rejoindrai. Je
suis tranquille maintenant. L'essentiel est qu'il le
sache; et il va le savoir par toi : je suis décidée à ce
voyage. Mais au retour, je passerai à travers les
murailles; tôt ou tard, je m'abattrai contre son cœur;
de cela je suis sûre comme de ma propre vie. Non,

Thérèse, non : toi, du moins, ne me fais pas de
morale, ne me parle pas de la famille....

— Je ne songe pas à la famille, chérie, mais à lui :
on ne tombe pas ainsi dans la vie d'un homme : il a
sa famille lui aussi, ses intérêts, son travail, une
liaison peut-être....

— Non, il m'a dit : " Je n'ai que vous dans ma
vie.... " et une autre fois : " Notre amour est la
seule chose à quoi je tienne en ce moment.... "

— " En ce moment? "

— Qu'est-ce que tu crois? Tu crois qu'il ne parlait que de la minute présente? "

Thérèse n'avait plus besoin de lui demander si
elle souffrait : elle l'entendait souffrir dans l'ombre;
mais sans aucune pitié. Pourquoi aurait-elle eu pitié?
Qu'il doit être doux de répéter un nom, un prénom
qui désigne un certain être auquel on est lié par le
cœur étroitement! La seule pensée qu'il est vivant,
qu'il respire, qu'il s'endort, le soir, la tête sur son
bras replié, qu'il s'éveille à l'aube, que son jeune corps
déplace la brume....

" Tu pleures, Thérèse? C'est à cause de moi que
tu pleures? Tu m'aimes, toi. "

La petite s'était mise à genoux, avait appuyé sa tête contre le flanc de Thérèse et, soudain, s'était redressée :

" J'ai senti sous mon front je ne sais quoi qui remue....

— Oui, depuis quelques jours, il bouge.

— Le petit?

— Oui : il est vivant déjà. "

Elles étaient revenues vers la maison, enlacées comme naguère sur la route du Nizan, sur la route d'Argelouse. Thérèse se souvient qu'elle avait peur de ce fardeau tressaillant; que de passions, au plus profond de son être, devait pénétrer cette chair informe encore! Elle se revoit, ce soir-là, assise dans sa chambre, devant la fenêtre ouverte; (Bernard lui avait crié depuis le jardin : " N'allume pas à cause des moustiques "). Elle avait compté les mois jusqu'à cette naissance; elle aurait voulu connaître un Dieu pour obtenir de lui que cette créature inconnue, toute mêlée encore à ses entrailles, ne se manifestât jamais.

VI

L'étrange est que Thérèse ne se souvient des jours qui suivirent le départ d'Anne et des la Trave que comme d'une époque de torpeur. A Argelouse, où il avait été entendu qu'elle trouverait le joint pour agir sur cet Azévédo et pour lui faire lâcher prise, elle ne songeait qu'au repos, au sommeil. Bernard avait consenti à ne pas habiter sa maison, mais celle de Thérèse, plus confortable et où la tante Clara leur épargnait tous les ennuis du ménage. Qu'importait à Thérèse les autres? Qu'ils s'arrangent seuls. Rien ne lui plaisait que cette hébétude jusqu'à ce qu'elle fût délivrée. Bernard l'irritait, chaque matin, en lui rappelant sa promesse d'aborder Jean Azévédo. Mais Thérèse le rabrouait : elle commençait de le supporter moins aisément. Il se peut que son état de grossesse, comme le croyait Bernard, ne fût

pas étranger à cette humeur. Lui-même subissait
alors les premières atteintes d'une obsession si commune aux gens de sa race, bien qu'il soit rare qu'elle
se manifeste avant la trentième année : cette peur de
la mort d'abord étonnait chez un garçon bâti à
chaux et à sable. Mais que lui répondre quand il
protestait : " Vous ne savez pas ce que j'éprouve?... "
Ces corps de gros mangeurs, issus d'une race oisive
et trop nourrie, n'ont que l'aspect de la puissance.
Un pin planté dans la terre engraissée d'un champ
bénéficie d'une croissance rapide; mais très tôt le
cœur de l'arbre pourrit et, dans sa pleine force, il
faut l'abattre. " C'est nerveux ", répétait-on à Bernard; mais lui sentait bien cette paille à même le
métal, — cette fêlure. Et puis, c'était inimaginable :
il ne mangeait plus, il n'avait plus faim. " Pourquoi
ne vas-tu pas consulter? " Il haussait les épaules,
affectait le détachement; au vrai, l'incertitude lui
paraissait moins redoutable qu'un verdict de mort,
peut-être. La nuit, un râle parfois réveillait Thérèse
en sursaut : la main de Bernard prenait sa main et
il l'appuyait contre son sein gauche pour qu'elle
se rendît compte des intermittences. Elle allumait

la bougie, se levait, versait du valérianate dans un
verre d'eau. Quel hasard, songeait-elle, que cette
mixture fût bienfaisante! Pourquoi pas mortelle?
Rien ne calme, rien n'endort vraiment, si ce n'est
pour l'éternité. Cet homme geignard, pourquoi
donc avait-il si peur de ce qui sans retour l'apaise-
rait? Il s'endormait avant elle. Comment attendre le
sommeil auprès de ce grand corps dont les ronfle-
ments parfois tournaient à l'angoisse? Dieu merci,
il ne l'approchait plus, — l'amour lui paraissant,
de tous les exercices, le plus dangereux pour son
cœur. Les coqs de l'aube éveillaient les métairies.
L'angélus de Saint-Clair tintait dans le vent d'Est;
les yeux de Thérèse enfin se fermaient. Alors s'agitait de nouveau le corps de l'homme : il s'habillait
vite, en paysan (à peine trempait-il sa tête dans l'eau
froide). Il filait comme un chien à la cuisine, friand
des restes du garde-manger; déjeunait sur le pouce
d'une carcasse, d'une tranche de confit froid, ou
encore d'une grappe de raisin et d'une croûte frottée
d'ail; son seul bon repas de la journée! Il jetait des
morceaux à Flambeau et à Diane dont claquaient les
mâchoires. Le brouillard avait l'odeur de l'automne.

C'était l'heure où Bernard ne souffrait plus, où il sentait de nouveau en lui sa jeunesse toute-puissante. Bientôt passeraient les palombes : il fallait s'occuper des appeaux, leur crever les yeux. A onze heures, il retrouvait Thérèse encore couchée.

" Eh bien? Et le fils Azévédo? Tu sais que mère attend des nouvelles à Barritz, poste restante?

— Et ton cœur?

— Ne me parle pas de mon cœur. Il suffit que tu m'en parles pour que je le sente de nouveau. Évidemment, ça prouve que c'est nerveux.... Tu crois aussi que c'est nerveux? "

Elle ne lui donnait jamais la réponse qu'il désirait :

" On ne sait jamais; toi seul connais ce que tu éprouves. Ce n'est pas une raison parce que ton père est mort d'une angine de poitrine... surtout à ton âge.... Évidemment le cœur est la partie faible des Desqueyroux. Que tu es drôle, Bernard, avec ta peur de la mort! N'éprouves-tu jamais, comme moi, le sentiment profond de ton inutilité? Non? Ne penses-tu pas que la vie des gens de notre espèce ressemble déjà terriblement à la mort? "

Il haussait les épaules : elle l'assommait avec ses

paradoxes. Ce n'est pas malin d'avoir de l'esprit : on
n'a qu'à prendre en tout le contre-pied de ce qui est
raisonnable. Mais elle avait tort, ajoutait-il, de se
mettre en dépense avec lui : mieux valait se réserver
pour son entrevue avec le fils Azévédo.

" Tu sais qu'il doit quitter Vilméja vers la mi-
octobre? "

A Villandraut, la station qui précède Saint-Clair,
Thérèse songe : " Comment persuader Bernard que
je n'ai pas aimé ce garçon? Il va croire sûrement que
je l'ai adoré. Comme tous les êtres à qui l'amour est
profondément inconnu, il s'imagine qu'un crime
comme celui dont on m'accuse ne peut être que
passionnel. " Il faudrait que Bernard comprît qu'à
cette époque, elle était très éloignée de le haïr, bien
qu'il lui parût souvent importun; mais elle n'imaginait pas qu'un autre homme lui pût être de quelque
secours. Bernard, tout compte fait, n'était pas si mal.
Elle exécrait dans les romans la peinture d'êtres
extraordinaires et tels qu'on n'en rencontre jamais
dans la vie.

Le seul homme supérieur qu'elle crût connaître,

c'était son père. Elle s'efforçait de prêter quelque
grandeur à ce radical entêté, méfiant, qui jouait sur
plusieurs tableaux : propriétaire-industriel (outre
une scierie à B., il traitait lui-même sa résine et celle
de son nombreux parentage dans une usine à Saint-
Clair). — Politicien surtout à qui ses manières cas-
santes avaient fait du tort, mais très écouté à la pré-
fecture. Et quel mépris des femmes ! même de Thérèse
à l'époque où chacun louait son intelligence. Et
depuis le drame : " toutes des hystériques quand elles
ne sont pas des idiotes ! " répétait-il à l'avocat. Cet anti-
clérical se montrait volontiers pudibond. Bien qu'il
fredonnât parfois un refrain de Béranger, il ne pouvait souffrir qu'on touchât devant lui à certains sujets,
devenait pourpre comme un adolescent. Bernard
tenait de M. de la Trave que monsieur Larroque s'était
marié vierge : " depuis qu'il est veuf, ces messieurs
m'ont souvent répété qu'on ne lui connaît pas de
maîtresse. C'est un type, ton père ! " oui, c'était un
type. Mais si, de loin, elle se faisait de lui une image
embellie, Thérèse, dès qu'il était là, mesurait sa bas-
sesse. Il venait peu à Saint-Clair, plus souvent à Argelouse, car il n'aimait pas à rencontrer les la Trave.

En leur présence, et bien qu'il fût interdit de parler
politique, dès le potage naissait le débat imbécile qui
tournait vite à l'aigre. Thérèse aurait eu honte de s'en
mêler : elle mettait son orgueil à ne pas ouvrir la
bouche, sauf si l'on touchait à la question religieuse.
Alors elle se précipitait au secours de M. Larroque.
Chacun criait, au point que la tante Clara elle-même
percevait des bribes de phrases, se jetait dans la
mêlée, et avec sa voix affreuse de sourde donnait
libre cours à sa passion de vieille radicale " qui sait
ce qui se passe dans les couvents "; au fond (songeait Thérèse), plus croyante qu'aucun la Trave, mais
en guerre ouverte contre l'Être infini qui avait permis
qu'elle fût sourde et laide, qu'elle mourût sans avoir
jamais été aimée ni possédée. Depuis le jour où
madame de la Trave avait quitté la table, on évita d'un
commun accord la métaphysique. La politique, d'ailleurs, suffisait à mettre hors des gonds ces personnes
qui, de droite ou de gauche, n'en demeuraient pas
moins d'accord sur ce principe essentiel : la propriété
est l'unique bien de ce monde, et rien ne vaut de vivre
que de posséder la terre. Mais faut-il faire ou non la
part du feu ? Et si l'on s'y résigne, dans quelle mesure ?

Thérèse, " qui avait la propriété dans le sang ", eût
voulu qu'avec ce cynisme la question fût posée, mais
elle haïssait les faux semblants dont les Larroque et les
la Trave masquaient leur commune passion. Quand
son père proclamait " un dévouement indéfectible
à la démocratie ", elle l'interrompait : " Ce n'est
pas la peine, nous sommes seuls. " Elle disait que le
sublime en politique lui donnait la nausée; le tragique du conflit des classes lui échappait dans un pays
où le plus pauvre est propriétaire, n'aspire qu'à l'être
davantage; où e goût commun de la terre, de la
chasse, du manger et du boire, crée entre tous, bour-
geois et paysans, une fraternité étroite. Mais Bernard
avait, en outre, de l'instruction; on disait de lui qu'il
était sorti de son trou; Thérèse elle-même se félicitait
de ce qu'il était un homme avec lequel on peut causer : " En somme, très supérieur à son milieu.... "
Ainsi le jugea-t-elle jusqu'au jour de sa rencontre avec
Jean Azévédo.

C'était l'époque où la fraîcheur de la nuit demeure
toute la matinée; et dès la collation, aussi chaud
qu'ait été le soleil, un peu de brume annonce

de loin le crépuscule. Les premières palombes passaient, et Bernard ne rentrait guère que le soir. Ce jour-là pourtant, après une mauvaise nuit, il était allé d'une traite à Bordeaux, pour se faire examiner.

" Je ne désirais rien alors, songe Thérèse, j'allais, une heure, sur la route parce qu'une femme enceinte doit marcher un peu. J'évitais les bois, où, à cause des palombières, il faut s'arrêter à chaque instant, siffler, attendre que le chasseur, d'un cri, vous auto-rise à repartir; mais parfois un long sifflement répond au vôtre : un vol s'est abattu dans les chênes; il faut se tapir. Puis je rentrais; je somnolais devant le feu du salon ou de la cuisine, servie en tout par tante Clara. Pas plus qu'un dieu ne regarde sa servante, je ne prê-tais d'attention à cette vieille fille toujours nasillant des histoires de cuisine et de métairie; elle parlait, elle parlait afin de n'avoir pas à essayer d'entendre : pres-que toujours des anecdotes sinistres touchant les métayers qu'elle soignait, qu'elle veillait avec un dévouement lucide : vieillards réduits à mourir de faim, condamnés au travail jusqu'à la mort, infirmes abandonnés, femmes asservies à d'exténuantes besognes. Avec une sorte d'allégresse, tante Clara citait dans un patois innocent leurs mots les plus atroces. Au vrai, elle n'aimait que moi qui ne la voyais même pas se mettre à genoux, délacer mes souliers, enlever mes bas, réchauffer mes pieds dans ses vieilles mains.

Balion venait aux ordres lorsqu'il devait se rendre, le lendemain, à Saint-Clair. Tante Clara dressait la liste des commissions, réunissait les ordonnances pour les malades d'Argelouse : " Vous irez en premier lieu à la pharmacie; Darquey n'aura pas trop de la journée pour préparer les drogues.... "

Ma première rencontre avec Jean.... Il faut que je me rappelle chaque circonstance : j'avais choisi d'aller à cette palombière abandonnée où je goûtais naguère auprès d'Anne et où je savais que, depuis, elle avait aimé rejoindre cet Azévédo. Non, ce n'était point, dans mon esprit, un pèlerinage. Mais les pins, de ce côté, ont trop grandi pour qu'on y puisse guetter les palombes : je ne risquais pas de déranger les chasseurs. Cette palombière ne pouvait plus servir car la forêt, à l'entour, cachait l'horizon; les cimes écartées ne ménageaient plus ces larges avenues de ciel où

le guetteur voit surgir les vols. Rappelle-toi : ce soleil
d'octobre brûlait encore; je peinais sur ce chemin de
sable; les mouches me harcelaient. Que mon ventre
était lourd! J'aspirais à m'asseoir sur le banc pourri
de la palombière. Comme j'en ouvrais la porte, un
jeune homme sortit, tête nue; je reconnus, au premier regard, Jean Azévédo, et d'abord imaginai que
je troublais un rendez-vous, tant son visage montrait
de confusion. Mais je voulus en vain prendre le
large; c'était étrange qu'il ne songeât qu'à me retenir : " Mais non, entrez, Madame; je vous jure que
vous ne me dérangez pas du tout. "

Je fus étonnée qu'il n'y eût personne dans la
cabane où je pénétrai, sur ses instances. Peut-être la
bergère avait-elle fui par une autre issue? Mais
aucune branche n'avait craqué. Lui aussi m'avait
reconnue, et d'abord le nom d'Anne de la Trave lui
vint aux lèvres. J'étais assise; lui, debout, comme sur
la photographie. Je regardais, à travers la chemise
de tussor, l'endroit où j'avais enfoncé l'épingle :
curiosité dépouillée de toute passion. Était-il beau?
Un front construit, — les yeux veloutés de sa race, —
de trop grosses joues; — et puis ce qui me dégoûte

dans les garçons de cet âge : des boutons, les signes
du sang en mouvement; tout ce qui suppure; surtout
ces paumes moites qu'il essuyait avec un mouchoir,
avant de vous serrer la main. Mais son beau regard
brûlait; j'aimais cette grande bouche toujours un peu
ouverte sur des dents aiguës : gueule d'un jeune chien
qui a chaud. Et moi, comment étais-je? Très famille,
je me souviens. Déjà je le prenais de haut, l'accusais,
sur un ton solennel, " de porter le trouble et la divi-
sion dans un intérieur honorable ". Ah! rappelle-toi
sa stupéfaction non jouée, ce juvénile éclat de rire :
" Alors, vous croyez que je veux l'épouser? Vous
croyez que je brigue cet honneur? " Je mesurai d'un
coup d'œil, avec stupeur, cet abîme entre la passion
d'Anne et l'indifférence du garçon. Il se défendait
avec feu : certes, comment ne pas céder au charme
d'une enfant délicieuse? Il n'est point défendu de
jouer; et justement parce qu'il ne pouvait même être
question de mariage entre eux, le jeu lui avait paru
anodin. Sans doute avait-il feint de partager les inten-
tions d'Anne... et comme, juchée sur mes grands
chevaux, je l'interrompais, il repartit avec véhémence
qu'Anne elle-même pouvait lui rendre ce témoignage

qu'il avait su ne pas aller trop loin; que, pour le reste,
il ne doutait point que Mlle de la Trave lui dût les
seules heures de vraie passion qu'il lui serait sans
doute donné de connaître durant sa morne existence :
" Vous me dites qu'elle souffre, madame; mais
croyez-vous qu'elle ait rien de meilleur à attendre de
sa destinée que cette souffrance? Je vous connais de
réputation; je sais qu'on peut vous dire ces choses
et que vous ne ressemblez pas aux gens d'ici. Avant
qu'elle ne s'embarque pour la plus lugubre traversée à
bord d'une vieille maison de Saint-Clair, j'ai pourvu
Anne d'un capital de sensations, de rêves, — de quoi
la sauver peut-être du désespoir et, en tout cas, de
l'abrutissement. " Je ne me souviens plus si je fus
crispée par cet excès de prétention, d'affectation,
ou si même j'y fus sensible. Au vrai, son débit était si
rapide que d'abord je ne le suivais pas; mais bientôt
mon esprit s'accoutuma à cette volubilité : " Me croire
capable, moi, de souhaiter un tel mariage; de jeter
l'ancre dans ce sable; ou de me charger à Paris d'une
petite fille? Je garderai d'Anne une image adorable,
certes; et au moment où vous m'avez surpris, je pen-
sais à elle justement.... Mais comment peut-on se fixer,

madame? Chaque minute doit apporter sa joie, — une joie différente de toutes celles qui l'ont précédée. "

Cette avidité d'un jeune animal, cette intelligence dans un seul être, cela me paraissait si étrange que je l'écoutais sans l'interrompre. Oui, décidément, j'étais éblouie : à peu de frais, grand Dieu! Mais je l'étais. Je me rappelle ce piétinement, ces cloches, ces cris sauvages de bergers qui annonçaient de loin l'approche d'un troupeau. Je dis au garçon que peut-être cela paraîtrait drôle que nous fussions ensemble dans cette cabane; j'aurais voulu qu'il répondît que mieux valait ne faire aucun bruit jusqu'à ce que fût passé le troupeau; je me serais réjouie de ce silence côte à côte, de cette complicité (déjà je devenais, moi aussi, exigeante, et souhaitais que chaque minute m'apportât de quoi vivre). Mais Jean Azévédo ouvrit sans protester la porte de la palombière et, cérémonieusement, s'effaça. Il ne me suivit jusqu'à Argelouse qu'après s'être assuré que je n'y voyais point d'obstacle. Ce retour, qu'il me parut rapide, bien que mon compagnon ait trouvé le temps de toucher à mille sujets! il rajeunissait étrangement ceux que je croyais un peu connaître : par exemple,

sur la question religieuse, comme je reprenais ce que
j'avais accoutumé de dire en famille, il m'interrompait : " Oui, sans doute... mais c'est plus compliqué
que cela.... " En effet, il projetait dans le débat des
clartés qui me paraissaient admirables.... Étaient-
elles en somme si admirables?... Je crois bien que je
vomirais aujourd'hui ce ragoût : il disait qu'il avait
longtemps cru que rien n'importait hors la recherche,
la poursuite de Dieu : " S'embarquer, prendre la
mer, fuir comme la mort ceux qui se persuadent
d'avoir trouvé, s'immobilisent, bâtissent des abris
pour y dormir; longtemps je les ai méprisés.... "

Il me demanda si j'avais lu *La Vie du Père de
Foucauld* par René Bazin; et comme j'affectais de rire,
il m'assura que ce livre l'avait bouleversé : " Vivre
dangereusement, au sens profond, ajouta-t-il, ce
n'est peut-être pas tant de chercher Dieu que de le
trouver et, l'ayant découvert, que de demeurer dans
son orbite. " Il me décrivit : " la grande aventure
des mystiques ", se plaignit de son tempérament qui
lui interdisait de la tenter, " mais aussi loin qu'allait
son souvenir, il ne se rappelait pas avoir été pur ".
Tant d'impudeur, cette facilité à se livrer, que cela

me changeait de la discrétion provinciale, du silence que chez nous chacun garde sur sa vie intérieure! Les ragots de Saint-Clair ne touchent qu'aux apparences : les cœurs ne se découvrent jamais. Que sais-je de Bernard, au fond? N'y a-t-il pas en lui infiniment plus que cette caricature dont je me contente, lorsqu'il faut me le représenter? Jean parlait et je demeurais muette : rien ne me venait aux lèvres que les phrases habituelles dans nos discussions de famille. De même qu'ici toutes les voitures sont " à la voie ", c'est-à-dire assez larges pour que les roues correspondent exactement aux ornières des charrettes, toutes mes pensées, jusqu'à ce jour, avaient été " à la voie " de mon père, de mes beaux-parents. Jean Azévédo allait tête nue; je revois cette chemise ouverte sur une poitrine d'enfant, son cou trop fort. Ai-je subi un charme physique? Ah! Dieu, non! Mais il était le premier homme que je rencontrais et pour qui comptait, plus que tout, la vie de l'esprit. Ses maîtres, ses amis parisiens dont il me rappelait sans cesse les propos ou les livres, me défendaient de le considérer ainsi qu'un phénomène : il faisait partie d'une élite nombreuse, " ceux qui existent ",

disait-il. Il citait des noms, n'imaginant même pas
que je les pusse ignorer; et je feignais de ne pas les
entendre pour la première fois.

Lorsqu'au détour de la route apparut le champ
d'Argelouse : "Déjà!" m'écriai-je. Des fumées
d'herbes brûlées traînaient au ras de cette pauvre
terre qui avait donné son seigle; par une entaille
dans le talus, un troupeau coulait comme du lait sale
et paraissait brouter le sable. Il fallait que Jean tra-
versât le champ pour atteindre Vilméja. Je lui dis :
" Je vous accompagne; toutes ces questions me pas-
sionnent. " Mais nous ne trouvâmes plus rien à nous
dire. Les tiges coupées du seigle, à travers les sandales,
me faisaient mal. J'avais le sentiment qu'il souhaitait
d'être seul, sans doute pour suivre à loisir une pensée
qui lui était venue. Je lui fis remarquer que nous
n'avions pas parlé d'Anne; il m'assura que nous
n'étions pas libres de choisir le sujet de nos collo-
ques, ni d'ailleurs de nos méditations : " ou alors,
ajouta-t-il avec superbe, il faut se plier aux méthodes
inventées par les mystiques.... Les êtres comme
nous suivent toujours des courants, obéissent à des
pentes... " ainsi ramenait-il tout à ses lectures de ce

moment-là. Nous prîmes rendez-vous pour arrêter,
au sujet d'Anne, un plan de conduite. Il parlait distrai-
tement et, sans répondre à une question que je lui
faisais, il se baissa : d'un geste d'enfant, il me montrait
un cèpe, qu'il approcha de son nez, de ses lèvres.

VII

Bernard, sur le seuil, guettait le retour de Thérèse :
" Je n'ai rien! Je n'ai rien! cria-t-il, dès qu'il aperçut
sa robe dans l'ombre. Crois-tu que, bâti comme tu
me vois, je suis anémique? C'est à ne pas croire et
c'est pourtant vrai : il ne faut pas se fier à l'appa-
rence; je vais suivre un traitement... le traitement
Fowler : c'est de l'arsenic; l'important est que je
retrouve l'appétit.... "

Thérèse se souvient que d'abord elle ne s'irrita
pas : tout ce qui lui venait de Bernard l'atteignait
moins que d'habitude (comme si le coup eût été
porté de plus loin). Elle ne l'entendait pas, le corps
et l'âme orientés vers un autre univers où vivent des
êtres avides et qui ne souhaitent que connaître, que
comprendre, — et, selon un mot qu'avait répété Jean
avec un air de satisfaction profonde, " devenir ce

qu'ils sont ". Comme, à table, elle parlait enfin de sa
rencontre, Bernard lui cria : " Tu ne me le disais pas?
quel drôle de type tu es tout de même! Eh bien?
Qu'est-ce que vous avez décidé? "

Elle improvisa aussitôt le plan qui devait être en
effet suivi : Jean Azévédo acceptait d'écrire une lettre
à Anne où il saurait en douceur lui enlever tout espoir.
Bernard s'était esclaffé lorsque Thérèse lui avait
soutenu que le jeune homme ne tenait pas du tout à
ce mariage : un Azévédo ne pas tenir à épouser
Anne de la Trave! " Ah çà? tu es folle? Tout simplement, il sait qu'il n'y a rien à faire; ces gens-là ne se
risquent pas lorsqu'ils sont sûrs de perdre. Tu es
encore naïve, ma petite. "

A cause des moustiques, Bernard n'avait pas voulu
que la lampe fût allumée; ainsi ne vit-il pas le regard de
Thérèse. "Il avait retrouvé appétit ", comme il disait.
Déjà ce médecin de Bordeaux lui avait rendu la vie.

" Ai-je souvent revu Jean Azévédo? Il a quitté
Argelouse vers la fin d'octobre.... Peut-être fîmes-
nous cinq ou six promenades; je n'isole que celle
où nous nous occupâmes de rédiger ensemble la

lettre pour Anne. Le naïf garçon s'arrêtait à des formules qu'il croyait apaisantes, et dont je sentais,
sans lui en rien dire, toute l'horreur. Mais nos dernières courses, je les confonds dans un souvenir
unique. Jean Azévédo me décrivait Paris, ses cama-
raderies, et j'imaginais un royaume dont la loi eût
été de " devenir soi-même ". " Ici vous êtes condamnée au mensonge jusqu'à la mort. " Prononçait-il de
telles paroles avec intention? De quoi me soupçon-
nait-il? C'était impossible, à l'entendre, que je pusse
supporter ce climat étouffant : " Regardez, me disait-
il, cette immense et uniforme surface de gel où toutes
les âmes ici sont prises; parfois une crevasse découvre
l'eau noire : quelqu'un s'est débattu, a disparu; la
croûte se reforme... car chacun, ici comme ailleurs, naît
avec sa loi propre; ici comme ailleurs, chaque destinée
est particulière; et pourtant il faut se soumettre à
ce morne destin commun ; quelques-uns résistent :
d'où ces drames sur lesquels les familles font silence.
Comme on dit ici : " Il faut faire le silence.... "

" Ah ! oui ! m'écriai-je. Parfois je me suis enquis
de tel grand-oncle, de telle aïeule, dont les photographies ont disparu de tous les albums, et je n'ai jamais

recueilli de réponse, sauf, une fois, cet aveu : " Il a
disparu... on l'a fait disparaître. "

Jean Azévédo redoutait-il pour moi ce destin?
Il assurait que l'idée ne lui serait pas venue d'entretenir Anne de ces choses, parce que, en dépit de sa
passion, elle était une âme toute simple, à peine rétive,
et qui bientôt serait asservie : " Mais vous! Je sens
dans toutes vos paroles une faim et une soif de sin-
cérité.... " Faudra-t-il rapporter exactement ces propos à Bernard? Folie d'espérer qu'il y puisse rien
entendre! Qu'il sache, en tout cas, que je ne me suis
pas rendue sans lutte. Je me rappelle avoir opposé
au garçon qu'il parait de phrases habiles le plus vil
consentement à la déchéance. J'eus même recours
à des souvenirs de lectures morales qu'on nous faisait au lycée. " Être soi-même? répétai-je, mais nous
ne sommes que dans la mesure où nous nous créons. "
(Inutile de développer; mais peut-être faudra-t-il
développer pour Bernard.) Azévédo niait qu'il existât
une déchéance pire que celle de se renier. Il prétendait qu'il n'était pas de héros ni de saint qui n'eût
fait plus d'une fois le tour de soi-même, qui n'eût
d'abord atteint toutes ses limites : " Il faut se dépasser

pour trouver Dieu ", répétait-il. Et encore : " S'ac-
cepter, cela oblige les meilleurs d'entre nous à s'affron-
ter eux-mêmes, mais à visage découvert et dans un
combat sans ruse. Et c'est pourquoi il arrive souvent
que ces affranchis se convertissent à la religion la
plus étroite. "

Ne pas discuter avec Bernard le bien-fondé de
cette morale; — lui accorder même que ce sont là
sans doute de pauvres sophismes; mais qu'il
comprenne, qu'il s'efforce de comprendre jusqu'où
une femme de mon espèce en pouvait être atteinte
et ce que j'éprouvais, le soir, dans la salle à manger
d'Argelouse : Bernard, au fond de la cuisine proche,
enlevait ses bottes, racontait en patois les prises de
la journée. Les palombes captives se débattaient,
gonflaient le sac jeté sur la table; Bernard mangeait
lentement, tout à la joie de l'appétit reconquis, —
comptait avec amour les gouttes de " Fowler " :
" C'est la santé ", répétait-il. Un grand feu brûlait et,
au dessert, il n'avait qu'à tourner son fauteuil, pour
tendre à la flamme ses pieds chaussés de feutres. Ses
yeux se fermaient sur *La Petite Gironde*. Parfois il
ronflait, mais aussi souvent je ne l'entendais même

pas respirer. Les savates de Balionte traînaient encore
à la cuisine; puis elle apportait les bougeoirs. Et
c'était le silence : le silence d'Argelouse! Les gens qui
ne connaissent pas cette lande perdue ne savent pas ce
qu'est le silence : il cerne la maison, comme solidifié
dans cette masse épaisse de forêt où rien ne vit, hors
parfois une chouette hululante (nous croyons entendre, dans la nuit, le sanglot que nous retenions).

Ce fut surtout après le départ d'Azévédo que je l'ai
connu, ce silence. Tant que je savais qu'au jour Jean
de nouveau m'apparaîtrait, sa présence rendait inof-
fensives les ténèbres extérieures; son sommeil proche
peuplait les landes et la nuit. Dès qu'il ne fut plus à
Argelouse, après cette rencontre dernière où il me
donna rendez-vous dans un an, plein de l'espoir, me
disait-il, qu'à cette époque je saurais me délivrer
(j'ignore encore aujourd'hui s'il parlait ainsi légère-
ment ou avec une arrière-pensée. J'incline à croire
que ce Parisien n'en pouvait plus de silence, du silence
d'Argelouse, et qu'il adorait en moi son unique audi-
toire), dès que je l'eus quitté, je crus pénétrer dans
un tunnel indéfini, m'enfoncer dans une ombre sans
cesse accrue; et parfois je me demandais si j'attein-

drais enfin l'air libre avant l'asphyxie. Jusqu'à mes
couches, en janvier, rien n'arriva.... "

Ici, Thérèse hésite; s'efforce de détourner sa pensée
de ce qui se passa dans la maison d'Argelouse, le sur-
lendemain du départ de Jean : "Non, non, songe-t-elle,
cela n'a rien à voir avec ce que je devrai tout à l'heure
expliquer à Bernard; je n'ai pas de temps à perdre sur
des pistes qui ne mènent à rien. " Mais la pensée est
rétive; impossible de l'empêcher de courir où elle
veut : Thérèse n'anéantira pas dans son souvenir ce
soir d'octobre. Au premier étage, Bernard se désha-
billait; Thérèse attendait que la bûche fût tout à fait
consumée pour le rejoindre, — heureuse de demeurer
seule un instant : que faisait Jean Azévédo à cette
heure? Peut-être buvait-il dans ce petit bar dont il
lui avait parlé; peut-être (tant la nuit était douce)
roulait-il en auto, avec un ami, dans le Bois de Bou-
logne désert. Peut-être travaillait-il à sa table, et
Paris grondait au loin; le silence, c'était lui qui le
créait, qui le conquérait sur le vacarme du monde;
il ne lui était pas imposé du dehors comme celui qui
étouffait Thérèse; ce silence était son œuvre et ne

s'étendait pas plus loin que la lueur de la lampe, que les rayons chargés de livres.... Ainsi songeait Thérèse; et voici que le chien aboya, puis gémit, et une voix connue, une voix exténuée, dans le vestibule, l'apaisait : Anne de la Trave ouvrit la porte; elle arrivait de Saint-Clair à pied, dans la nuit, — les souliers pleins de boue. Dans sa petite figure vieillie, ses yeux brillaient. Elle jeta son chapeau sur un fauteuil; demanda : " Où est-il? "

Thérèse et Jean, la lettre écrite et mise à la poste, avaient cru cette affaire finie, — très loin d'imaginer qu'Anne pût ne pas lâcher prise, — comme si un être cédait à des raisons, à des raisonnements lorsqu'il s'agit de sa vie même! Elle avait pu tromper la surveillance de sa mère et monter dans un train. Sur la route ténébreuse d'Argelouse, la coulée de ciel clair entre les cimes l'avait guidée. " Le tout était de le revoir; si elle le revoyait, il serait reconquis; il fallait le revoir. " Elle trébuchait, se tordait les pieds dans les ornières, tant elle avait hâte d'atteindre Argelouse. Et maintenant Thérèse lui dit que Jean est parti, qu'il est à Paris. Anne fait non, de la tête, elle ne la croit pas; elle a besoin de ne pas la croire pour ne pas s'effondrer de fatigue et de désespoir :

" Tu mens comme tu as toujours menti. "

Et comme Thérèse protestait, elle ajouta :

" Ah! tu l'as bien, toi, l'esprit de famille! Tu poses pour l'affranchie.... Mais depuis ton mariage, tu es devenue d'emblée une femme de la famille.... Oui, oui, c'est entendu : tu as cru bien faire; tu me trahissais pour me sauver, hein? Je te fais grâce de tes explications. "

Comme elle rouvrait la porte, Thérèse lui demanda où elle allait.

" A Vilméja, chez lui.

— Je te répète qu'il n'y est plus depuis deux jours.

— Je ne te crois pas. "

Elle sortit. Thérèse alors alluma la lanterne accrochée dans le vestibule et la rejoignit :

" Tu t'égares, ma petite Anne : tu suis le chemin de Biourge. Vilméja, c'est par là. "

Elles traversèrent la brume qui débordait d'une prairie. Des chiens s'éveillèrent. Voici les chênes de Vilméja, la maison non pas endormie mais morte. Anne tourne autour de ce sépulcre vide, frappe à la

porte des deux poings. Thérèse, immobile, a posé la
lanterne dans l'herbe. Elle voit le fantôme léger de
son amie se coller à chaque fenêtre du rez-de-chaussée.
Sans doute Anne répète-t-elle un nom, mais sans
le crier, sachant que c'est bien inutile. La maison,
quelques instants, la cache; elle reparaît, atteint
encore la porte, glisse sur le seuil, les bras noués
autour des genoux où sa figure se dérobe. Thérèse
la relève, l'entraîne. Anne, trébuchant, répète :
" Je partirai demain matin pour Paris. Paris n'est pas
si grand; je le trouverai dans Paris... " mais du
ton d'un enfant à bout de résistance et qui déjà
s'abandonne.

Bernard éveillé par le bruit de leurs voix les attendait en robe de chambre, dans le salon. Thérèse a
tort de chasser le souvenir de la scène qui éclata
entre le frère et la sœur. Cet homme capable de prendre rudement les poignets d'une petite fille exténuée,
de la traîner jusqu'à une chambre du deuxième, d'en
verrouiller la porte, c'est ton mari, Thérèse : ce Bernard qui, d'ici deux heures, sera ton juge. L'esprit
de famille l'inspire, le sauve de toute hésitation. Il
sait toujours, en toute circonstance, ce qu'il convient

de faire dans l'intérêt de la famille. Pleine d'angoisse, tu prépares un long plaidoyer; mais seuls, les hommes sans principes peuvent céder à une raison étrangère. Bernard se moque bien de tes arguments : " Je sais ce que j'ai à faire ". Il sait toujours ce qu'il a à faire. Si parfois il hésite, il dit : " Nous en avons parlé en famille et nous avons jugé que... "; comment peux-tu douter qu'il n'ait préparé sa sentence? Ton sort est fixé à jamais : tu ferais aussi bien de dormir.

VIII

Après que les la Trave eurent ramené Anne vaincue
à Saint-Clair, Thérèse, jusqu'aux approches de sa
délivrance, n'avait plus quitté Argelouse. Elle en
connut vraiment le silence, durant ces nuits déme-
surées de novembre. Une lettre adressée à Jean Azévédo était demeurée sans réponse. Sans doute esti-
mait-il que cette provinciale ne valait pas l'ennui
d'une correspondance. D'abord, une femme enceinte,
cela ne fait jamais un beau souvenir. Peut-être, à
distance, jugeait-il Thérèse fade, cet imbécile que de
fausses complications, des attitudes eussent retenu!
Mais que pouvait-il comprendre à cette simplicité
trompeuse, à ce regard direct, à ces gestes jamais
hésitants? Au vrai, il la croyait capable, comme la
petite Anne, de le prendre au mot, de quitter tout et
de le suivre. Jean Azévédo se méfiait des femmes qui

rendent les armes trop tôt pour que l'assaillant ait
le loisir de lever le siège. Il ne redoutait rien autant
que la victoire, que le fruit de la victoire. Thérèse,
pourtant, s'efforçait de vivre dans l'univers de ce
garçon; mais des livres que Jean admirait, et qu'elle
avait fait venir de Bordeaux, lui parurent incom-
préhensibles. Quel désœuvrement! Il ne fallait pas
lui demander de travailler à la layette : " ce n'était
pas sa partie ", répétait madame de la Trave. Beaucoup
de femmes meurent en couches, à la campagne.
Thérèse faisait pleurer tante Clara en affirmant
qu'elle finirait comme sa mère, qu'elle était sûre de
n'en pas réchapper. Elle ne manquait pas d'ajouter
que " ça lui était égal de mourir ". Mensonge! Jamais
elle n'avait désiré si ardemment de vivre; jamais non
plus Bernard ne lui avait montré tant de sollicitude :
" Il se souciait non de moi, mais de ce que je portais
dans mes flancs. En vain, de son affreux accent, rabâ-
chait-il : " Reprends de la purée.... Ne mange pas
" de poisson.... Tu as assez marché aujourd'hui.... "
Je n'en étais pas plus touchée que ne l'est une nour-
rice étrangère que l'on étrille pour la qualité de son
lait. Les la Trave vénéraient en moi un vase sacré;

le réceptacle de leur progéniture; aucun doute que,
le cas échéant, ils m'eussent sacrifiée à cet embryon.
Je perdais le sentiment de mon existence individuelle.
Je n'étais que le sarment; aux yeux de la famille, le
fruit attaché à mes entrailles comptait seul.

Jusqu'à la fin de décembre, il fallut vivre dans ces
ténèbres. Comme si ce n'eût pas été assez des pins
innombrables, la pluie ininterrompue multipliait
autour de la sombre maison ses millions de barreaux
mouvants. Lorsque l'unique route de Saint-Clair
menaça de devenir impraticable, je fus ramenée au
bourg, dans la maison à peine moins ténébreuse que
celle d'Argelouse. Les vieux platanes de la Place dispu-
taient encore leurs feuilles au vent pluvieux. Incapable de vivre ailleurs qu'à Argelouse, tante Clara
ne voulut pas s'établir à mon chevet; mais elle faisait
souvent la route, par tous les temps, dans son cabrio-
let "à la voie"; elle m'apportait ces chatteries que
j'avais tant aimées, petite fille, et qu'elle croyait
que j'aimais encore, ces boules grises de seigle et de
miel, appelées miques; le gâteau dénommé fougasse
ou roumadjade. Je ne voyais Anne qu'aux repas, et

elle ne m'adressait plus la parole; résignée, semblait-il,
réduite, elle avait perdu d'un coup sa fraîcheur. Ses
cheveux trop tirés découvraient de vilaines oreilles
pâles. On ne prononçait pas le nom du fils Deguilhem,
mais madame de la Trave affirmait que si Anne ne disait
pas oui encore, elle ne disait plus non. Ah! Jean l'avait
bien jugée : il n'avait pas fallu longtemps pour lui
passer la bride et pour la mettre au pas. Bernard allait
moins bien parce qu'il avait recommencé de boire des
apéritifs. Quelles paroles échangeaient ces êtres
autour de moi? Ils s'entretenaient beaucoup du curé,
je me souviens (nous habitions en face du presby-
tère). On se demandait, par exemple, " pourquoi il
avait traversé quatre fois la place dans la journée, et
chaque fois il avait dû rentrer par un autre chemin.... "

Sur quelques propos de Jean Azévédo, Thérèse
prêtait plus d'attention à ce prêtre jeune encore, sans
communication avec ses paroissiens qui le trouvaient
fier : " Ce n'est pas le genre qu'il faut ici. " Durant
ses rares visites chez les la Trave, Thérèse observait
ses tempes blanches, ce haut front. Aucun ami. Comment passait-il ses soirées? Pourquoi avait-il choisi
cette vie? " Il est très exact, disait Madame de la

Trave; il fait son adoration tous les soirs; mais il
manque d'onction, je ne le trouve pas ce qui s'appelle
pieux. Et pour les œuvres, il laisse tout tomber. "
Elle déplorait qu'il eût supprimé la fanfare du patro-
nage; les parents se plaignaient de ce qu'il n'accom-
pagnait plus les enfants sur le terrain de football :
" C'est très joli d'avoir toujours le nez dans ses livres,
mais une paroisse est vite perdue. " Thérèse, pour
l'entendre, fréquenta l'église. " Vous vous y décidez,
ma petite, juste au moment où votre état vous en
aurait dispensée. " Les prônes du curé, touchant le
dogme ou la morale, étaient impersonnels. Mais
Thérèse s'intéressait à une inflexion de voix, à un
geste; un mot parfois semblait plus lourd.... Ah!
lui, peut-être, aurait-il pu l'aider à débrouiller en elle
ce monde confus; différent des autres, lui aussi avait
pris un parti tragique; à sa solitude intérieure, il avait
ajouté ce désert que crée la soutane autour de l'homme
qui la revêt. Quel réconfort puisait-il dans ces rites
quotidiens? Thérèse aurait voulu assister à sa messe
dans la semaine, alors que, sans autre témoin que l'enfant de chœur, il murmurait des paroles, courbé sur
un morceau de pain. Mais cette démarche eût paru

étrange à sa famille et aux gens du bourg, on aurait
crié à la conversion.

Autant que Thérèse ait souffert à cette époque, ce
fut au lendemain de ses couches qu'elle commença
vraiment de ne pouvoir plus supporter la vie. Rien
n'en paraissait à l'extérieur; aucune scène entre elle
et Bernard; et elle montrait plus de déférence envers
ses beaux-parents que ne faisait son mari lui-même.
C'était là le tragique; qu'il n'y eût pas une raison de
rupture; l'événement était impossible à prévoir
qui aurait empêché les choses d'aller leur train jusqu'à la mort. La mésentente suppose un terrain de
rencontre où se heurter; mais Thérèse ne rencontrait
jamais Bernard, et moins encore ses beaux-parents;
leurs paroles ne l'atteignaient guère; l'idée ne lui
venait pas qu'il fût nécessaire d'y répondre. Avaient-
ils seulement un vocabulaire commun? Ils donnaient
aux mots essentiels un sens différent. Si un cri sincère
échappait à Thérèse, la famille avait admis, une fois
pour toutes, que la jeune femme adorait les boutades.
" Je fais semblant de ne pas entendre, disait madame
de la Trave, et si elle insiste, de n'y pas attacher d'im-

portance; elle sait qu'avec nous ça ne prend pas.... "

Pourtant madame de la Trave supportait mal, chez Thérèse, cette affectation de ne pouvoir souffrir que les gens fissent des cris sur sa ressemblance avec la petite Marie. Les exclamations coutumières : (" Celle-là, vous ne pouvez pas la renier... ") jetaient la jeune femme dans des sentiments extrêmes qu'elle ne savait pas toujours dissimuler. " Cette enfant n'a rien de moi, insistait-elle. Voyez cette peau brune, ces yeux de jais. Regardez mes photos : j'étais une petite fille blafarde. "

Elle ne voulait pas que Marie lui ressemblât. Avec cette chair détachée de la sienne, elle désirait ne plus rien posséder en commun. Le bruit commençait de courir que le sentiment maternel ne l'étouffait pas. Mais Mme de la Trave assurait qu'elle aimait sa fille à sa manière : " Bien sûr, il ne faut pas lui demander de surveiller son bain ou de changer ses couches : ce n'est pas dans ses cordes; mais je l'ai vue demeurer des soirées entières, assise auprès du berceau, se retenant de fumer pour regarder la petite dormir.... D'ailleurs nous avons une bonne très sérieuse; et puis Anne est là; ah! celle-là, je vous jure que ce

sera une fameuse petite maman.... " Depuis qu'un
enfant respirait dans la maison, c'était vrai qu'Anne
avait recommencé de vivre. Toujours un berceau
attire les femmes; mais Anne, plus qu'aucune autre,
maniait l'enfant avec une profonde joie. Pour pénétrer plus librement chez la petite, elle avait fait la paix
avec Thérèse, sans que rien ne subsistât de leur
tendresse ancienne, hors des gestes, des appellations
familières. La jeune fille redoutait surtout la jalousie
maternelle de Thérèse : " La petite me connaît
bien mieux que sa mère. Dès qu'elle me voit,
elle rit. L'autre jour, je l'avais dans mes bras; elle
s'est mise à hurler lorsque Thérèse a voulu la
prendre. Elle me préfère, au point que j'en suis parfois gênée.... "

Anne avait tort d'être gênée. Thérèse, à ce moment
de sa vie, se sentait détachée de sa fille comme de tout
le reste. Elle apercevait les êtres et les choses et
son propre corps et son esprit même, ainsi qu'un
mirage, une vapeur suspendue en dehors d'elle. Seul,
dans ce néant, Bernard prenait une réalité affreuse :
sa corpulence, sa voix du nez, et ce ton péremptoire,
cette satisfaction. Sortir du monde.... Mais comment?

et où aller? Les premières chaleurs accablaient
Thérèse. Rien ne l'avertissait de ce qu'elle était au
moment de commettre. Que se passa-t-il cette année-
là? Elle ne se souvient d'aucun incident, d'aucune
dispute; elle se rappelle avoir exécré son mari plus
que de coutume, le jour de la Fête-Dieu, alors qu'entre
les volets mi-clos elle guettait la procession. Bernard
était presque le seul homme derrière le dais. Le vil-
lage, en quelques instants, était devenu désert, comme
si c'eût été un lion, et non un agneau, qu'on avait
lâché dans les rues.... Les gens se terraient pour n'être
pas obligés de se découvrir ou de se mettre à genoux.
Une fois le péril passé, les portes se rouvraient une
à une. Thérèse dévisagea le curé, qui avançait les
yeux presque fermés, portant des deux mains cette
chose étrange. Ses lèvres remuaient : à qui parlait-il
avec cet air de douleur? Et tout de suite, derrière lui,
Bernard " qui accomplissait son devoir ".

Des semaines se succédèrent sans que tombât
une goutte d'eau. Bernard vivait dans la terreur de
l'incendie, et de nouveau souffrait de son cœur.
Cinq cents hectares avaient brûlé du côté de Lou-

chats : " Si le vent avait soufflé du Nord, mes pins de
Balisac étaient perdus. " Thérèse attendait elle ne
savait quoi de ce ciel inaltérable. Il ne pleuvrait
jamais plus.... Un jour toute la forêt crépiterait à
l'entour, et le bourg même ne serait pas épargné.
Pourquoi les villages des Landes ne brûlent-ils jamais ?
Elle trouvait injuste que les flammes choisissent
toujours les pins, jamais les hommes. En famille, on
discutait indéfiniment sur les causes du sinistre : une
cigarette jetée ? la malveillance ? Thérèse rêvait qu'une
nuit elle se levait, sortait de la maison, gagnait la
forêt la plus envahie de brandes, jetait sa cigarette,
jusqu'à ce qu'une immense fumée ternît le ciel de
l'aube.... Mais elle chassait cette pensée, ayant l'amour
des pins dans le sang ; ce n'était pas aux arbres
qu'allait sa haine.

La voici au moment de regarder en face l'acte
qu'elle a commis. Quelle explication fournir à Bernard ? Rien à faire que de lui rappeler point par point
comment la chose arriva. C'était ce jour du grand
incendie de Mano. Des hommes entraient dans la salle
à manger où la famille déjeunait en hâte. Les uns

assuraient que le feu paraissait très éloigné de Saint-
Clair; d'autres insistaient pour que sonnât le tocsin.
Le parfum de la résine brûlée imprégnait ce jour
torride et le soleil était comme sali. Thérèse revoit
Bernard, la tête tournée, écoutant le rapport de
Balion, tandis que sa forte main velue s'oublie au-
dessus du verre et que les gouttes de Fowler tombent
dans l'eau. Il avale d'un coup le remède sans qu'abru-
tie de chaleur, Thérèse ait songé à l'avertir qu'il a
doublé sa dose habituelle. Tout le monde a quitté la
table, — sauf elle qui ouvre des amandes fraîches,
indifférente, étrangère à cette agitation, désintéressée
de ce drame, comme de tout drame autre que le sien.
Le tocsin ne sonne pas. Bernard rentre enfin : " Pour
une fois, tu as eu raison de ne pas t'agiter : c'est du
côté de Mano que ça brûle.... " Il demande : " Est-ce
que j'ai pris mes gouttes ? " et sans attendre la réponse,
de nouveau il en fait tomber dans son verre. Elle s'est
tue par paresse, sans doute, par fatigue. Qu'espère-
t-elle à cette minute ? " Impossible que j'aie prémédité de me taire. "

Pourtant, cette nuit-là, lorsqu'au chevet de Bernard vomissant et pleurant, le docteur Pédemay

l'interrogca sur les incidents de la journée, elle ne dit
rien de ce qu'elle avait vu à table. Il eût été pourtant
facile, sans se compromettre, d'attirer l'attention du
docteur sur l'arsenic que prenait Bernard. Elle aurait
pu trouver une phrase comme celle-ci : " Je ne m'en
suis pas rendu compte au moment même.... Nous
étions tous affolés par cet incendie... mais je jurerais,
maintenant, qu'il a pris une double dose.... " Elle
demeura muette; éprouva-t-elle seulement la tentation de parler? L'acte qui, durant le déjeuner, était
déjà en elle à son insu, commença alors d'émerger
du fond de son être, — informe encore, mais à demi
baigné de conscience.

Après le départ du docteur, elle avait regardé Bernard endormi enfin; elle songeait : " Rien ne prouve
que ce soit *cela*; ce peut être une crise d'appendicite,
bien qu'il n'y ait aucun autre symptôme... ou un cas
de grippe infectieuse. " Mais Bernard, le surlende-
main, était sur pieds. " Il y avait des chances pour
que ce fût *cela*. " Thérèse ne l'aurait pas juré; elle
aurait aimé à en être sûre. " Oui, je n'avais pas du tout
le sentiment d'être la proie d'une tentation horrible;
il s'agissait d'une curiosité un peu dangereuse à satis-

faire. Le premier jour où, avant que Bernard entrât
dans la salle, je fis tomber des gouttes de Fowler dans
son verre, je me souviens d'avoir répété : " Une seule
fois, pour en avoir le cœur net... je saurai si c'est cela
qui l'a rendu malade. Une seule fois, et ce sera fini. "

Le train ralentit, siffle longuement, repart. Deux
ou trois feux dans l'ombre : la gare de Saint-Clair.
Mais Thérèse n'a plus rien à examiner; elle s'est
engouffrée dans le crime béant; elle a été aspirée
par le crime; ce qui a suivi, Bernard le connaît aussi
bien qu'elle-même : cette soudaine reprise de son
mal, et Thérèse le veillant nuit et jour, quoiqu'elle
parût à bout de forces et qu'elle fût incapable de rien
avaler (au point qu'il la persuada d'essayer du traitement Fowler et qu'elle obtint du docteur Pédemay
une ordonnance). Pauvre docteur! Il s'étonnait de ce
liquide verdâtre que vomissait Bernard; il n'aurait
jamais cru qu'un tel désaccord pût exister entre le
pouls d'un malade et sa température; il avait maintes
fois constaté dans la paratyphoïde un pouls calme
en dépit d'une forte fièvre; — mais que pouvaient
signifier ces pulsations précipitées et cette tempéra-

ture au-dessous de la normale? Grippe infectieuse, sans doute : la grippe, cela dit tout.

Madame de la Trave songeait à faire venir un grand médecin consultant, mais ne voulait pas froisser le docteur, ce vieil ami; et puis Thérèse craignait de frapper Bernard. Pourtant, vers la mi-août, après une crise plus alarmante, Pédemay, de lui-même, souhaita l'avis d'un de ses confrères; heureusement, dès le lendemain, l'état de Bernard s'améliorait; trois semaines plus tard, on parlait de convalescence. " Je l'ai échappé belle, disait Pédemay. Si le grand homme avait eu le temps de venir, il aurait obtenu toute la gloire de cette cure. "

Bernard se fit transporter à Argelouse, comptant bien être guéri pour la chasse à la palombe. Thérèse se fatigua beaucoup à cette époque : une crise aiguë de rhumatismes retenait au lit tante Clara; tout retombait sur la jeune femme : deux malades, un enfant; sans compter les besognes que tante Clara avait laissées en suspens. Thérèse mit beaucoup de bonne volonté à la relayer auprès des pauvres gens d'Argelouse. Elle fit le tour des métairies, s'occupa, comme sa tante, de faire exécuter les ordonnances, paya de sa bourse les remèdes. Elle ne songea pas à s'attrister de ce que la métairie de Vilméja demeurait close. Elle ne pensait plus à Jean Azévédo, ni à personne au monde. Elle traversait, seule, un tunnel, vertigineusement; elle en était au plus obscur; il fallait, sans réfléchir, comme une brute, sortir de ces ténèbres, de cette fumée, atteindre l'air libre, vite! vite!

Au début de décembre, une reprise de son mal terrassa Bernard : un matin, il s'était réveillé grelottant, les jambes inertes et insensibles. Et ce qui suivit! Le médecin consultant amené un soir de Bordeaux par M. de la Trave; son long silence, après qu'il eut examiné le malade (Thérèse tenait la lampe et Balionte se souvient encore qu'elle était plus blanche que les draps); sur le palier mal éclairé, Pédemay, baissant la voix à cause de Thérèse aux écoutes, explique à son confrère que Darquey, le pharmacien, lui avait montré deux de ses ordonnances falsifiées : à la première une main criminelle avait ajouté : *Liqueur de Fowler;* sur l'autre figuraient d'assez fortes doses de chloroforme, de digitaline, d'aconitine. Balion les avait apportées à la pharmacie, en même temps que beaucoup d'autres. Darquey, tourmenté d'avoir livré ces toxiques, avait couru, le lendemain,

chez Pédemay.... Oui, Bernard connaît toutes ces
choses aussi bien que Thérèse elle-même. Une voiture sanitaire l'avait transporté, d'urgence, à Bordeaux, dans une clinique; et dès ce jour-là il commença d'aller mieux. Thérèse était demeurée seule à
Argelouse; mais quelle que fût sa solitude, elle percevait autour d'elle une immense rumeur; bête tapie
qui entend se rapprocher la meute; accablée comme
après une course forcenée, — comme si, tout près
du but, la main tendue déjà, elle avait été soudain
précipitée à terre, les jambes rompues. Son père
était venu un soir, à la fin de l'hiver, l'avait conjurée
de se disculper. Tout pouvait être sauvé encore.
Pédemay avait consenti à retirer sa plainte, prétendait n'être plus sûr qu'une de ses ordonnances ne fût
pas tout entière de sa main. Pour l'aconitine, le chloroforme et la digitaline, il ne pouvait en avoir prescrit
d'aussi fortes doses; mais puisqu'aucune trace n'en
avait été relevée dans le sang du malade....

Thérèse se souvient de cette scène avec son père,
au chevet de tante Clara. Un feu de bois éclairait la
chambre; aucun d'eux ne désirait la lampe. Elle
expliquait de sa voix monotone d'enfant qui récite

une leçon (cette leçon qu'elle repassait durant ses nuits sans sommeil) : " J'ai rencontré sur la route un homme qui n'était pas d'Argelouse, et qui m'a dit que puisque j'envoyais quelqu'un chez Darquey, il espérait que je voudrais bien me charger de son ordonnance; il devait de l'argent à Darquey et aimait mieux de ne pas se montrer à la pharmacie.... Il promettait de venir chercher les remèdes à la maison, mais ne m'a laissé ni son nom, ni son adresse....

— Trouve autre chose, Thérèse, je t'en supplie au nom de la famille. Trouve autre chose, malheureuse! "

Le père Larroque répétait ses objurgations, avec entêtement; la sourde, à demi soulevée sur ses oreillers, sentant peser sur Thérèse une menace mortelle, gémissait : " Que te dit-il? Qu'est-ce qu'on te veut? Pourquoi te fait-on du mal? "

Elle avait trouvé la force de sourire à sa tante, de lui tenir la main, tandis que comme une petite fille au catéchisme elle récitait : " C'était un homme sur la route; il faisait trop noir pour que j'aie vu sa figure; il ne m'a pas dit quelle métairie il habitait. " Un autre soir, il était venu chercher les remèdes. Par malheur, personne, dans la maison, ne l'avait aperçu.

IX

Saint-Clair, enfin. A la descente du wagon, Thérèse ne fut pas reconnue. Pendant que Balion remettait son billet, elle avait contourné la gare et, à travers les planches empilées, rejoint la route où stationnait la carriole.

Cette carriole, maintenant, lui est un refuge ; sur le chemin défoncé, elle ne redoute plus de rencontrer personne. Toute son histoire, péniblement reconstruite, s'effondre : rien ne reste de cette confession préparée. Non : rien à dire pour sa défense ; pas même une raison à fournir ; le plus simple sera de se taire, ou de répondre seulement aux questions. Que peut-elle redouter ? Cette nuit passera, comme toutes les nuits ; le soleil se lèvera demain : elle est assurée d'en sortir, quoi qu'il arrive. Et rien ne peut arriver de pire que cette indifférence, que ce détachement total

qui la sépare du monde et de son être même. Oui, la
mort dans la vie : elle goûte la mort autant que la
peut goûter une vivante.

Ses yeux accoutumés à l'ombre reconnaissaient,
au tournant de la route, cette métairie où quelques
maisons basses ressemblent à des bêtes couchées
et endormies. Ici Anne, autrefois, avait peur d'un
chien qui se jetait toujours dans les roues de sa bicyclette. Plus loin, des aulnes décelaient un bas-fond;
dans les jours les plus torrides, une fraîcheur fugitive,
à cet endroit, se posait sur les joues en feu des jeunes
filles. Un enfant à bicyclette, dont les dents luisent
sous un chapeau de soleil, le son d'un grelot, une voix
qui crie : " Regardez! je lâche les deux mains! " cette
image confuse retient Thérèse, tout ce qu'elle trouve,
dans ces jours finis, pour y reposer un cœur à bout
de forces. Elle répète machinalement des mots ryth-
més sur le trot du cheval : " Inutilité de ma vie —
néant de ma vie — solitude sans bornes — destinée
sans issue. " Ah! le seul geste possible, Bernard ne
le fera pas. S'il ouvrait les bras pourtant, sans rien
demander! Si elle pouvait appuyer sa tête sur une

poitrine humaine, si elle pouvait pleurer contre un corps vivant!

Elle aperçoit le talus du champ où Jean Azévédo, un jour de chaleur, s'est assis. Dire qu'elle a cru qu'il existait un endroit du monde où elle aurait pu s'épanouir au milieu d'êtres qui l'eussent comprise, peut-être admirée, aimée! Mais sa solitude lui est attachée plus étroitement qu'au lépreux son ulcère : " Nul ne peut rien pour moi; nul ne peut rien contre moi. "

" Voici monsieur et mademoiselle Clara. "

Balion tire sur les rênes. Deux ombres s'avancent. Bernard, si faible encore, était donc venu au-devant d'elle — impatient d'être rassuré. Elle se lève à demi, annonce de loin : " Non-lieu! " Sans aucune autre réponse que : " C'était couru! " Bernard aida la tante à grimper dans la carriole, et prit les rênes. Balion rentrerait à pied. Tante Clara s'assit entre les époux. Il fallut lui crier dans l'oreille que tout était arrangé (elle n'avait d'ailleurs du drame qu'une connaissance confuse). A son habitude, la sourde commença de parler à perdre haleine; elle disait qu'*ils* avaient toujours eu la même tactique et que c'était l'affaire

Dreyfus qui recommençait : " Calomniez, calomniez,
il en restera toujours quelque chose. *Ils* étaient rudement forts et les républicains avaient tort de ne plus
se tenir sur leurs gardes. Dès qu'on leur laisse le
moindre répit, à ces bêtes puantes, elles vous sautent
dessus.... " Ces jacassements dispensaient les époux
d'échanger aucune parole.

Tante Clara, soufflant, gravit l'escalier un bougeoir
à la main :

" Vous ne vous couchez pas? Thérèse doit être
fourbue. Tu trouveras dans la chambre une tasse de
bouillon, du poulet froid. "

Mais le couple demeurait debout dans le vestibule. La vieille vit Bernard ouvrir la porte du salon,
s'effacer devant Thérèse, disparaître à sa suite. Si elle
n'avait pas été sourde, elle aurait collé son oreille...
mais on n'avait pas à se méfier d'elle, emmurée
vivante. Elle éteignit sa bougie, pourtant, redescendit
à tâtons, mit un œil à la serrure : Bernard déplaçait
une lampe; son visage vivement éclairé paraissait à la
fois intimidé et solennel. La tante aperçut de dos
Thérèse assise, elle avait jeté son manteau et sa toque
sur un fauteuil; le feu faisait fumer ses souliers mouil-

lés. Un instant, elle tourna la tête vers son mari et la
vieille femme se réjouit de voir que Thérèse souriait.

Thérèse souriait. Dans le bref intervalle d'espace
et de temps, entre l'écurie et la maison, marchant
aux côtés de Bernard, soudain elle avait vu, elle
avait cru voir ce qu'il importait qu'elle fît. La seule
approche de cet homme avait réduit à néant son
espoir de s'expliquer, de se confier. Les êtres que
nous connaissons le mieux, comme nous les défor-
mons dès qu'ils ne sont plus là! Durant tout ce
voyage, elle s'était efforcée, à son insu, de recréer un
Bernard capable de la comprendre, d'essayer de la
comprendre; — mais, du premier coup d'œil, il lui
apparaissait tel qu'il était réellement, celui qui ne
s'est jamais mis, fût-ce une fois dans sa vie, à la place
d'autrui; qui ignore cet effort pour sortir de soi-
même, pour voir ce que l'adversaire voit. Au vrai,
Bernard l'écouterait-il seulement? Il arpentait la
grande pièce humide et basse, et le plancher pourri
par endroits craquait sous ses pas. Il ne regardait
pas sa femme, — tout plein des paroles qu'il avait
dès longtemps préméditées. Et Thérèse, elle aussi,

savait ce qu'elle allait dire. La solution la plus simple,
c'est toujours à celle-là que nous ne pensons jamais.
Elle allait dire : " Je disparais, Bernard. Ne vous
inquiétez pas de moi. Tout de suite, si vous voulez,
je m'enfonce dans la nuit. La forêt ne me fait pas
peur, ni les ténèbres. Elles me connaissent; nous
nous connaissons. J'ai été créée à l'image de ce pays
aride et où rien n'est vivant, hors les oiseaux qui pas-
sent, les sangliers nomades. Je consens à être rejetée;
brûlez toutes mes photographies; que ma fille même
ne sache plus mon nom, que je sois aux yeux de la
famille comme si je n'avais jamais été. "

Et déjà Thérèse ouvre la bouche; elle dit :

" Laissez-moi disparaître, Bernard. "

Au son de cette voix, Bernard s'est retourné. Du
fond de la pièce, il se précipite, les veines de la face
gonflées; balbutie :

" Quoi? Vous osez avoir un avis? émettre un
vœu? Assez. Pas un mot de plus. Vous n'avez qu'à
écouter, qu'à recevoir mes ordres, — à vous confor-
mer à mes décisions irrévocables. "

Il ne bégaie plus, rejoint maintenant les phrases
préparées avec soin. Appuyé à la cheminée, il s'ex-

prime d'un ton grave, tire un papier de sa poche, le consulte. Thérèse n'a plus peur; elle a envie de rire; il est grotesque; c'est un grotesque. Peu importe ce qu'il dit avec cet accent ignoble et qui fait rire partout ailleurs qu'à Saint-Clair, elle partira. Pourquoi tout ce drame? Cela n'aurait eu aucune importance que cet imbécile disparût du nombre des vivants. Elle remarque, sur le papier qui tremble, ses ongles mal tenus; il n'a pas de manchettes, il est de ces campagnards ridicules hors de leur trou, et dont la vie n'importe à aucune cause, à aucune idée, à aucun être. C'est par habitude que l'on donne une importance infinie à l'existence d'un homme. Robespierre avait raison; et Napoléon, et Lénine.... Il la voit sourire; s'exaspère, hausse le ton, elle est obligée d'écouter :

"Moi, je vous tiens; comprenez-vous? Vous obéirez aux décisions arrêtées en famille, sinon....

— Sinon... quoi? "

Elle ne songeait plus à feindre l'indifférence; elle prenait un ton de bravade et de moquerie; elle criait :

"Trop tard! Vous avez témoigné en ma faveur; vous ne pouvez plus vous déjuger. Vous seriez convaincu de faux témoignage....

— On peut toujours découvrir un fait nouveau.
Je la détiens dans mon secrétaire, cette preuve iné-
dite. Il n'y a pas prescription, Dieu merci ! "

Elle tressaillit, demanda :

" Que voulez-vous de moi ? "

Il consulte ses notes et, durant quelques secondes,
Thérèse demeure attentive au silence prodigieux
d'Argelouse. L'heure des coqs est encore éloignée ;
aucune eau vive ne court dans ce désert, aucun vent
n'émeut les cimes innombrables.

" Je ne cède pas à des considérations personnelles.
Moi, je m'efface : la famille compte seule. L'intérêt
de la famille a toujours dicté toutes mes décisions.
J'ai consenti, pour l'honneur de la famille, à tromper
la justice de mon pays. Dieu me jugera. "

Ce ton pompeux faisait mal à Thérèse. Elle aurait
voulu le supplier de s'exprimer plus simplement.

" Il importe, pour la famille, que le monde nous
croie unis et qu'à ses yeux je n'aie pas l'air de mettre
en doute votre innocence. D'autre part, je veux me
garder le mieux possible....

— Je vous fais peur, Bernard ? "

Il murmura : " Peur ? Non : horreur. " Puis :

" Faisons vite et que tout soit dit une fois pour

toutes : demain, nous quitterons cette maison pour
nous établir à côté, dans la maison Desqueyroux;
je ne veux pas de votre tante chez moi. Vos repas
vous seront servis par Balionte dans votre chambre.
L'accès de toutes les autres pèces vous demeure
interdit; mais je ne vous empêcherai pas de courir
les bois. Le dimanche, nous assisterons ensemble à la
grand-messe, dans l'église de Saint-Clair. Il faut qu'on
vous voie à mon bras; et le premier jeudi du mois
nous irons, en voiture ouverte, à la foire de B., chez
votre père, comme nous avons toujours fait.

— Et Marie?

— Marie part demain avec sa bonne pour Saint-
Clair, puis ma mère l'amènera dans le Midi. Nous
trouverons une raison de santé. Vous n'espériez tout
de même pas qu'on allait vous la laisser? Il faut la
mettre à l'abri, elle aussi! Moi disparu, c'est elle qui,
à vingt et un ans, aurait eu la propriété. Après le
mari, l'enfant... pourquoi pas? "

Thérèse s'est levée; elle retient un cri :

" Alors vous croyez que c'est à cause des pins
que j'ai.... "

Entre les mille sources secrètes de son acte, cet

imbécile n'a donc su en découvrir aucune; et il
invente la cause la plus basse :

" Naturellement : à cause des pins.... Pourquoi
serait-ce? Il suffit de procéder par élimination. Je
vous défie de m'indiquer un autre mobile.... Au reste,
c'est sans importance et cela ne m'intéresse plus;
je ne me pose plus de questions; vous n'êtes plus
rien; ce qui existe, c'est le nom que vous portez,
hélas! Dans quelques mois, lorsque le monde sera
convaincu de notre entente, qu'Anne aura épousé le
fils Deguilhem.... Vous savez que les Deguilhem
exigent un délai, qu'ils demandent à réfléchir... à
ce moment-là, je pourrai enfin m'établir à Saint-Clair;
vous, vous resterez ici. Vous serez neurasthénique,
ou autre chose....

— La folie, par exemple?

— Non, ça porterait tort à Marie. Mais les raisons
plausibles ne manqueront pas. Voilà. "

Thérèse murmure : " A Argelouse... jusqu'à la
mort.... " Elle s'approcha de la fenêtre, l'ouvrit.
Bernard, à cet instant, connut une vraie joie; cette
femme qui toujours l'avait intimidé et humilié
comme il la domine, ce soir! comme elle doit se senti

méprisée! Il éprouvait l'orgueil de sa modération.
Madame de la Trave lui répétait qu'il était un saint;
toute la famille le louait de sa grandeur d'âme : il
avait, pour la première fois, le sentiment de cette
grandeur. Lorsque avec mille précautions, à la maison
de santé, l'attentat de Thérèse lui avait été découvert,
son sang-froid, qui lui attira tant de louanges, ne lui
avait guère coûté d'efforts. Rien n'est vraiment grave
pour les êtres incapables d'aimer; parce qu'il était
sans amour, Bernard n'avait éprouvé que cette sorte
de joie tremblante, après un grand péril écarté : ce
que peut ressentir un homme à qui l'on révèle qu'il a
vécu, durant des années, et à son insu, dans l'inti-
mité d'un fou furieux. Mais, ce soir, Bernard avait
le sentiment de sa force; il dominait la vie. Il admirait qu'aucune difficulté ne résiste à un esprit droit et
qui raisonne juste; même au lendemain d'une telle
tourmente, il était prêt à soutenir que l'on n'est jamais
malheureux, sinon par sa faute. Le pire des drames,
voilà qu'il l'avait *réglé* comme n'importe quelle
autre affaire. Ça ne se saurait presque pas; il sauverait
la face; on ne le plaindrait plus; il ne voulait pas être
plaint. Qu'y a-t-il d'humiliant à avoir épousé un

monstre, lorsque l'on a le dernier mot? La vie de
garçon a du bon, d'ailleurs, et l'approche de la mort
avait accru merveilleusement le goût qu'il avait des
propriétés, de la chasse, de l'automobile, de ce qui se
mange et de ce qui se boit : la vie, enfin!

Thérèse demeurait debout devant la fenêtre; elle
voyait un peu de gravier blanc, sentait les chrysanthèmes qu'un grillage défend contre les troupeaux.
Au-delà, une masse noire de chênes cachait les pins;
mais leur odeur résineuse emplissait la nuit; pareils
à l'armée ennemie, invisible mais toute proche,
Thérèse savait qu'ils cernaient la maison. Ces gar-
diens, dont elle écoute la plainte sourde, la verraient
languir au long des hivers, haleter durant les jours
torrides; ils seraient les témoins de cet étouffement lent. Elle referme la fenêtre et s'approche de
Bernard :

« Croyez-vous donc que vous me retiendrez de
force?

— A votre aise... mais sachez-le bien : vous ne
sortirez d'ici que les poings liés.

— Quelle exagération! Je vous connais : ne vous
faites pas plus méchant que nature. Vous n'exposerez

pas la famille à cette honte! Je suis bien tranquille. "

Alors, en homme qui a tout bien pesé, il lui expliqua que partir, c'était se reconnaître coupable. L'opprobre, dans ce cas, ne pouvait être évitée par la famille, qu'en s'amputant du membre gangrené, en le rejetant, en le reniant à la face des hommes.

" C'était même le parti auquel d'abord ma mère aurait voulu que nous nous arrêtions, figurez-vous! Nous avons été au moment de laisser la justice suivre son cours; et si ce n'avait été d'Anne et de Marie.... Mais il est temps encore. Ne vous pressez pas de répondre. Je vous laisse jusqu'au jour. "

Thérèse dit à mi-voix :

" Mon père me reste.

— Votre père? mais nous sommes entièrement d'accord. Il a sa carrière, son parti, les idées qu'il représente : il ne pense qu'à étouffer le scandale, coûte que coûte. Reconnaissez au moins ce qu'il a fait pour vous. Si l'instruction a été bâclée, c'est bien grâce à lui.... D'ailleurs, il a dû vous exprimer sa volonté formelle.... Non? "

Bernard n'élevait plus le ton, redevenait presque

courtois. Ce n'était pas qu'il éprouvât la moindre
compassion. Mais cette femme, qu'il n'entendait
même plus respirer, gisait enfin; elle avait trouvé sa
vraie place. Tout rentrait dans l'ordre. Le bonheur
d'un autre homme n'eût pas résisté à un tel coup :
Bernard était fier d'avoir réussi ce redressement;
tout le monde peut se tromper; tout le monde d'ailleurs, à propos de Thérèse, s'était trompé, — jusqu'à
madame de la Trave qui, d'habitude, avait si vite
fait de juger son monde. C'est que les gens, maintenant, ne tiennent plus assez compte des principes;
ils ne croient plus au péril d'une éducation comme
celle qu'a reçue Thérèse; un monstre, sans doute;
tout de même on a beau dire : si elle avait cru en
Dieu... la peur est le commencement de la sagesse.
Ainsi songeait Bernard. Et il se disait encore que
tout le bourg, impatient de savourer leur honte, serait
bien déçu, chaque dimanche, à la vue d'un ménage
aussi uni! Il lui tardait presque d'être à dimanche,
pour voir la tête des gens!... D'ailleurs, la justice
n'y perdrait rien. Il prit la lampe, son bras levé
éclairait la nuque de Thérèse :

" Vous ne montez pas encore? "

Elle ne parut pas l'entendre. Il sortit, la laissant dans le noir. Au bas de l'escalier, tante Clara était accroupie sur la première marche. Comme la vieille le dévisageait, il sourit avec effort, lui prit le bras pour qu'elle se levât. Mais elle résistait, — vieux chien contre le lit de son maître qui agonise. Bernard posa la lampe sur le carreau, et cria dans l'oreille de la vieille que Thérèse déjà se sentait beaucoup mieux, mais qu'elle voulait demeurer seule quelques instants, avant d'aller dormir :

" Vous savez que c'est une de ses lubies ! "

Oui, la tante le savait : ce fut toujours sa malchance d'entrer chez Thérèse au moment où la jeune femme souhaitait d'être seule. Souvent il avait suffi à la vieille d'entrouvrir la porte, pour se sentir importune.

Elle se mit debout avec effort, et, appuyée au bras de Bernard, gagna la pièce qu'elle occupait au-dessus du grand salon. Bernard y pénétra derrière elle, prit soin d'allumer une bougie sur la table, puis, l'ayant baisée au front, s'éloigna. La tante ne l'avait pas quitté des yeux. Que ne déchiffrait-elle sur les figures des hommes qu'elle n'entendait pas ? Elle laisse à Bernard le temps de regagner sa chambre, rouvre douce-

ment la porte... mais il est encore sur le palier, appuyé
à la rampe : il roule une cigarette; elle rentre en hâte,
les jambes tremblantes, à bout de souffle, au point de
n'avoir pas la force de se déshabiller. Elle demeure
couchée sur son lit, les yeux ouverts.

X

Au salon, Thérèse était assise dans le noir. Des tisons vivaient encore sous la cendre. Elle ne bougeait pas. Du fond de sa mémoire, surgissaient, maintenant qu'il était trop tard, des lambeaux de cette confession préparée durant le voyage; mais pourquoi se reprocher de ne s'en être pas servie? Au vrai, cette histoire trop bien construite demeurait sans lien avec la réalité. Cette importance qu'il lui avait plu d'attribuer aux discours du jeune Azévédo, quelle bêtise! Comme si cela avait pu compter le moins du monde! Non, non : elle avait obéi à une profonde loi, à une loi inexorable; elle n'avait pas détruit cette famille, c'était elle qui serait donc détruite; ils avaient raison de la considérer comme un monstre, mais elle aussi les jugeait monstrueux. Sans que rien ne parût au-dehors, ils allaient, avec une lente méthode, l'anéantir.

" Contre moi, désormais, cette puissante mécanique
familiale sera montée, — faute de n'avoir su ni
l'enrayer, ni sortir à temps des rouages. Inutile de
chercher d'autres raisons que celle-ci " parce que
c'était eux, parce que c'était moi.... " Me masquer,
sauver la face, donner le change, cet effort que je pus
accomplir moins de deux années, j'imagine que d'autres êtres (qui sont mes semblables) y persévèrent
souvent jusqu'à la mort, sauvés par l'accoutumance
peut-être, chloroformés par l'habitude, abrutis,
endormis contre le sein de la famille maternelle et toute-puissante. Mais moi, mais moi, mais
moi.... "

Elle se leva, ouvrit la fenêtre, sentit le froid de
l'aube. Pourquoi ne pas fuir ? Cette fenêtre seulement
à enjamber. La poursuivraient-ils ? La livreraient-
ils de nouveau à la justice ? C'était une chance à courir.
Tout, plutôt que cette agonie interminable. Déjà
Thérèse traîne un fauteuil, l'appuie à la croisée. Mais
elle n'a pas d'argent ; des milliers de pins lui appar-
tiennent en vain : sans l'entremise de Bernard, elle
ne peut toucher un sou. Autant vaudrait s'enfoncer
à travers la lande, comme avait fait Daguerre, cet

assassin traqué pour qui Thérèse enfant avait éprouvé
tant de pitié (elle se souvient des gendarmes auxquels
Balionte versait du vin dans la cuisine d'Argelouse)
— et c'était le chien des Desqueyroux qui avait découvert la piste du misérable. On l'avait ramassé à demi
mort de faim dans la brande. Thérèse l'avait vu ligoté
sur une charrette de paille. On disait qu'il était mort
sur le bateau avant d'arriver à Cayenne. Un bateau...
le bagne.... Ne sont-ils pas capables de la livrer
comme ils l'ont dit? Cette preuve que Bernard
prétendait tenir... mensonge, sans doute; à moins
qu'il n'ait découvert, dans la poche de la vieille pèlerine, ce paquet de poisons....

Thérèse en aura le cœur net. Elle s'engage à tâtons
dans l'escalier. A mesure qu'elle monte, elle y voit
plus clair à cause de l'aube qui, là-haut, éclaire les
vitres. Voici, sur le palier du grenier, l'armoire où
pendent les vieux vêtements, — ceux qu'on ne donne
jamais, parce qu'ils servent durant la chasse. Cette
pèlerine délavée a une poche profonde : tante
Clara y rangeait son tricot, du temps qu'elle aussi,
dans un " jouquet " solitaire, guettait les palombes.

Thérèse y glisse la main, en retire le paquet cacheté de cire :

Chloroforme   : 30 grammes.
Aconitine granules : n° 20.
Digitaline sol.   : 20 grammes.

Elle relit ces mots, ces chiffres. Mourir. Elle a toujours eu la terreur de mourir. L'essentiel est de ne pas regarder la mort en face, — de prévoir seulement les gestes indispensables : verser l'eau, diluer la poudre, boire d'un trait, s'étendre sur le lit, fermer les yeux. Ne chercher à rien voir au-delà. Pourquoi redouter ce sommeil plus que tout autre sommeil? Si elle frissonne, c'est que le petit matin est froid. Elle descend, s'arrête devant la chambre où dort Marie. La bonne y ronfle comme une bête grogne. Thérèse pousse la porte. Les volets filtrent le jour naissant. L'étroit lit de fer est blanc dans l'ombre. Deux poings minuscules sont posés sur le drap. L'oreiller noie un profil encore informe. Thérèse reconnaît cette oreille trop grande : son oreille. Les gens ont raison; une réplique d'elle-même est là,

engourdie, endormie. " Je m'en vais, — mais cette
part de moi-même demeure et tout ce destin à rem-
plir jusqu'au bout, dont pas un iota ne sera omis. "
Tendances, inclinations, lois du sang, lois inéluctia-
bles. Thérèse a lu que des désespérés emportent avec
eux leurs enfants dans la mort; les bonnes gens
laissent choir le journal : " Comment des choses
pareilles sont-elles possibles? " Parce qu'elle est un
monstre, Thérèse sent profondément que cela est
possible et que pour un rien.... Elle s'agenouille,
touche à peine de ses lèvres une petite main gisante;
elle s'étonne de ce qui sourd du plus profond de son
être, monte à ses yeux, brûle ses joues : quelques
pauvres larmes, elle qui ne pleure jamais!

Thérèse se lève, regarde encore l'enfant, passe
enfin dans sa chambre, emplit d'eau le verre, rompt
le cachet de cire, hésite entre les trois boîtes de
poison.

La fenêtre était ouverte; les coqs semblaient
déchirer le brouillard dont les pins retenaient entre
leurs branches des lambeaux diaphanes. Campagne
trempée d'aurore. Comment renoncer à tant de
lumière? Qu'est-ce que la mort? On ne sait pas ce

qu'est la mort. Thérèse n'est pas assurée du néant.
Thérèse n'est pas absolument sûre qu'il n'y ait personne. Thérèse se hait de ressentir une telle terreur.
Elle, qui n'hésitait pas à y précipiter autrui, se cabre
devant le néant. Que sa lâcheté l'humilie! S'il existe
cet Être (et elle revoit, en un bref instant, la Fête-
Dieu accablante, l'homme solitaire écrasé sous une
chape d'or, et cette chose qu'il porte des deux
mains, et ces lèvres qui remuent, et cet air de douleur);
puisqu'Il existe, qu'Il détourne la main criminelle
avant que ce soit trop tard; — et si c'est sa volonté
qu'une pauvre âme aveugle franchisse le passage,
puisse-t-Il, du moins, accueillir avec amour ce
monstre, sa créature. Thérèse verse dans l'eau le
chloroforme dont le nom, plus familier, lui fait moins
peur parce qu'il suscite des images de sommeil.
Qu'elle se hâte! La maison s'éveille : Balionte a
rabattu les volets dans la chambre de tante Clara.
Que crie-t-elle à la sourde? D'habitude, la servante
sait se faire comprendre au mouvement des lèvres.
Un bruit de portes et de pas précipités. Thérèse n'a
que le temps de jeter un châle sur la table pour
cacher les poisons. Balionte entre sans frapper :

" Mamiselle est morte! Je l'ai trouvée morte, sur
son lit, tout habillée. Elle est déjà froide. "

On a tout de même mis un chapelet entre les doigts
de la vieille impie, un crucifix sur sa poitrine. Des
métayers entrent, s'agenouillent, sortent, non sans
avoir longuement dévisagé Thérèse debout au pied
du lit : (" Et qui sait si ce n'est pas elle encore qui a
fait le coup? ") Bernard est allé à Saint-Clair pour
avertir la famille et pour toutes les démarches. Il a
dû se dire que cet accident venait à point, ferait
diversion. Thérèse regarde ce corps, ce vieux corps
fidèle qui s'est couché sous ses pas au moment où
elle allait se jeter dans la mort. Hasard; coïncidence.
Si on lui parlait d'une volonté particulière, elle haus-
serait les épaules. Les gens se disent les uns aux
autres : " Vous avez vu? Elle ne fait même pas semblant de pleurer! " Thérèse parle dans son cœur à
celle qui n'est plus là : vivre, mais comme un cadavre
entre les mains de ceux qui la haïssent. N'essayer de
rien voir au-delà.

Aux funérailles, Thérèse occupa son rang. Le
dimanche qui suivit, elle pénétra dans l'église avec

Bernard qui, au lieu de passer par le bas-côté, selon
son habitude, traversa ostensiblement la nef. Thérèse
ne releva son voile de crêpe que lorsqu'elle eut pris
place entre sa belle-mère et son mari. Un pilier la
rendait invisible à l'assistance; en face d'elle, il n'y
avait rien que le chœur. Cernée de toutes parts : la
foule derrière, Bernard à droite, madame de la Trave
à gauche, et cela seulement lui est ouvert, comme
l'arène au taureau qui sort de la nuit : cet espace
vide, où, entre deux enfants, un homme déguisé est
debout, chuchotant, les bras un peu écartés.

XI

Bernard et Thérèse rentrèrent le soir à Argelouse
dans la maison Desqueyroux à peu près inhabitée
depuis des années. Les cheminées fumaient, les
fenêtres fermaient mal, et le vent passait sous les
portes que les rats avaient rongées. Mais l'automne
fut si beau, cette année-là, que d'abord Thérèse ne
souffrit pas de ces incommodités. La chasse retenait
Bernard jusqu'au soir. A peine rentré, il s'installait
à la cuisine, dînait avec les Balion : Thérèse entendait le bruit des fourchettes, les voix monotones.
La nuit tombe vite en octobre. Les quelques livres
qu'elle avait fait venir de la maison voisine lui étaient
trop connus. Bernard laissa sans réponse la demande
qu'elle lui fit de transmettre une commande à son
libraire de Bordeaux; il permit seulement à Thérèse
de renouveler sa provision de cigarettes. Tisonner...

mais la fumée résineuse et refoulée brûlait ses yeux,
irritait sa gorge déjà malade à cause du tabac. A
peine Balionte avait-elle emporté les restes d'un repas
rapide, que Thérèse éteignait la lampe, se couchait.
Combien d'heures demeurait-elle étendue, sans que
la délivrât le sommeil! Le silence d'Argelouse l'empêchait de dormir : elle préférait les nuits de vent, —
cette plainte indéfinie des cimes recèle une douceur
humaine. Thérèse s'abandonnait à ce bercement.
Les nuits troublées de l'équinoxe l'endormaient
mieux que les nuits calmes.

Aussi interminables que lui parussent les soirées,
il lui arrivait pourtant de rentrer avant le crépuscule,
— soit qu'à sa vue une mère ait pris son enfant par
la main, et l'ait ramené rudement à l'intérieur de la
métairie, — soit qu'un bouvier, dont elle connaissait
le nom, n'ait pas répondu à son bonjour. Ah! qu'il
eût été bon de se perdre, de se noyer au plus profond
d'une ville populeuse! A Argelouse, pas un berger
qui ne connût sa légende (la mort même de tante
Clara lui était imputée). Elle n'aurait osé franchir
aucun seuil; elle sortait de chez elle par une porte
dérobée, évitait les maisons; un cahot lointain de

charrette suffisait pour qu'elle se jetât dans un chemin de traverse. Elle marchait vite, avec un cœur
angoissé de gibier, se couchait dans la brande pour
attendre que fût passée une bicyclette.

Le dimanche, à la messe de Saint-Clair, elle n'éprouvait pas cette terreur et goûtait quelque relâche. L'opinion du bourg lui paraissait plus favorable. Elle ne
savait pas que son père, les la Trave la peignaient
sous les traits d'une victime innocente et frappée à
mort : " Nous craignons que la pauvre petite ne s'en
relève pas; elle ne veut voir personne et le médecin
dit qu'il ne faut pas la contrarier. Bernard l'entoure
beaucoup, mais le moral est atteint.... "

La dernière nuit d'octobre, un vent furieux, venu
de l'Atlantique, tourmenta longuement les cimes,
et Thérèse, dans un demi-sommeil, demeurait attentive à ce bruit d'Océan. Mais au petit jour, ce ne fut
pas la même plainte qui l'éveilla. Elle poussa les volets,
et la chambre demeura sombre; une pluie menue,
serrée, ruisselait sur les tuiles des communs, sur les
feuilles encore épaisses des chênes. Bernard ne sortit
pas, ce jour-là. Thérèse fumait, jetait sa cigarette,

allait sur le palier, et entendait son mari errer d'une
pièce à l'autre au rez-de-chaussée; une odeur de pipe
s'insinua jusque dans la chambre, domina celle du
tabac blond de Thérèse, et elle reconnut l'odeur de
son ancienne vie. Le premier jour de mauvais
temps.... Combien devrait-elle en vivre au coin de
cette cheminée où le feu mourait? Dans les angles
la moisissure détachait le papier. Aux murs, la trace
demeurait encore des portraits anciens qu'avait pris
Bernard pour en orner le salon de Saint-Clair, — et les
clous rouillés qui ne soutenaient plus rien. Sur la
cheminée, dans un triple cadre de fausse écaille, des
photographies étaient pâles comme si les morts
qu'elles représentaient y fussent morts une seconde
fois : 'e père de Bernard, sa grand-mère, Bernard
lui-même coiffé " en enfant d'Édouard ". Tout ce
jour à vivre encore, dans cette chambre; et puis ces
semaines, ces mois....

Comme la nuit venait, Thérèse n'y tint plus,
ouvrit doucement la porte, descendit, pénétra dans
la cuisine. Elle vit Bernard assis sur une chaise basse,
devant le feu, et qui soudain se mit debout. Balion
interrompit le nettoyage d'un fusil; Balionte laissa

choir son tricot. Tous trois la regardaient avec une telle expression qu'elle leur demanda :

" Je vous fais peur?

— L'accès de la cuisine vous est interdit. Ne le savez-vous pas? "

Elle ne répondit rien, recula vers la porte. Bernard la rappela :

" Puisque je vous vois... je tiens à vous dire que ma présence ici n'est plus nécessaire. Nous avons su créer à Saint-Clair un courant de sympathie; on vous croit, ou l'on fait semblant de vous croire un peu neurasthénique. Il est entendu que vous aimez mieux vivre seule et que je viens souvent vous voir. Désormais, e vous dispense de la messe.... "

Elle balbutia que " ça ne l'ennuyait pas du tout d'y aller ". Il répondit que ce n'était pas son amusement qui importait. Le résultat cherché était acquis :

" Et puisque la messe, pour vous, ne signifie rien.... "

Elle ouvrit la bouche, parut au moment de parler, demeura silencieuse. Il insista pour que d'aucune parole, d'aucun geste, elle ne compromît un succès

si rapide, si inespéré. Elle demanda comment allait
Marie. Il dit qu'elle allait bien, et qu'elle partait le
lendemain avec Anne et madame de la Trave pour
Beaulieu. Lui-même irait y passer quelques semaines :
deux mois au plus. Il ouvrit la porte, s'effaça devant
Thérèse.

Au petit jour sombre, elle entendit Balion atteler.
Encore la voix de Bernard, des piaffements, les
cahots de la carriole qui s'éloignait. Enfin la pluie
sur les tuiles, sur les vitres brouillées, sur le champ
désert, sur cent kilomètres de landes et de marais,
sur les dernières dunes mouvantes, sur l'Océan.

Thérèse allumait sa cigarette à celle qu'elle ache-
vait de fumer. Vers quatre heures, elle mit un " ciré ",
s'enfonça dans la pluie. Elle eut peur de la nuit,
revint à sa chambre. Le feu était éteint, et comme elle
grelottait, elle se coucha. Vers sept heures, Balionte
lui ayant monté un œuf frit sur du jambon, elle
refusa d'en manger; ce goût de graisse l'écœurait
à la fin! Toujours du confit ou du jambon. Balionte
disait qu'elle n'avait pas mieux à lui offrir : M. Bernard lui avait interdit la volaille. Elle se plaignait de

ce que Thérèse la faisait monter et descendre inutile-
ment (elle avait une maladie de cœur, les jambes
enflées). Ce service était déjà trop lourd pour elle;
ce qu'elle en faisait, c'était bien pour M. Bernard.

Thérèse eut la fièvre cette nuit-là; et son esprit
étrangement lucide construisait toute une vie à Paris :
elle revoyait ce restaurant du Bois où elle avait été,
mais sans Bernard, avec Jean Azévédo et des jeunes
femmes. Elle posait son étui d'écaille sur la table,
allumait une Abdullah. Elle parlait, expliquait son
cœur, et l'orchestre jouait en sourdine. Elle enchan-
tait un cercle de visages attentifs, mais nullement
étonnés. Une femme disait : " C'est comme moi...
j'ai éprouvé cela, moi aussi. " Un homme de lettres
la prenait à part : " Vous devriez écrire tout ce qui
se passe en vous. Nous publierons ce journal d'une
femme d'aujourd'hui dans notre revue. " Un jeune
homme qui souffrait à cause d'elle la ramenait dans
son auto. Ils remontaient l'avenue du Bois; elle
n'était pas troublée mais jouissait de ce jeune corps
bouleversé, assis à sa gauche. " Non, pas ce soir, lui
disait-elle. Ce soir, je dîne avec une amie. — Et
demain soir? — Non plus. — Vos soirées ne sont

jamais libres? — Presque jamais... pour ainsi dire jamais.... "

Un être était dans sa vie grâce auquel tout le reste du monde lui paraissait insignifiant; quelqu'un que personne de son cercle ne connaissait; une créature très humble, très obscure; mais toute l'existence de Thérèse tournait autour de ce soleil visible pour son seul regard, et dont sa chair seule connaissait la chaleur. Paris grondait comme le vent dans les pins. Ce corps contre son corps, aussi léger qu'il fût, l'empêchait de respirer; mais elle aimait mieux perdre le souffle que l'éloigner. (Et Thérèse fait le geste d'étreindre, et de sa main droite serre son épaule gauche — et les ongles de sa main gauche s'enfoncent dans son épaule droite.)

Elle se lève, pieds nus; ouvre la fenêtre; les ténèbres ne sont pas froides; mais comment imaginer qu'il puisse un jour ne plus pleuvoir? Il pleuvra jusqu'à la fin du monde. Si elle avait de l'argent, elle se sauverait à Paris, irait droit chez Jean Azévédo, se confierait à ui; il saurait lui procurer du travail. Être une femme seule dans Paris, qui gagne sa vie, qui ne dépend de personne.... Être sans famille! Ne

laisser qu'à son cœur le soin de choisir *les siens* —
non selon le sang, mais selon l'esprit, et selon la
chair aussi; découvrir ses vrais parents, aussi rares,
aussi disséminés fussent-ils.... Elle s'endormit enfin,
la fenêtre ouverte. L'aube froide et mouillée l'éveilla :
elle claquait des dents, sans courage pour se lever et
fermer la fenêtre, — incapable même d'étendre le
bras, de tirer la couverture.

Elle ne se leva pas, ce jour-là, ni ne fit sa toilette.
Elle avala quelques bouchées de confit et but du café
pour pouvoir fumer (à jeun, son estomac ne supportait plus le tabac). Elle essayait de retrouver ses ima-
ginations nocturnes; au reste il n'y avait guère plus
de bruit dans Argelouse, et l'après-midi n'était guère
moins sombre que la nuit. En ces jours les plus courts
de l'année, la pluie épaisse unifie le temps, confond
les heures; un crépuscule rejoint l'autre dans le silence
immuable. Mais Thérèse était sans désir de sommeil et ses songes en devenaient plus précis; avec
méthode, elle cherchait, dans son passé, des visages
oubliés, des bouches qu'elle avait chéries de loin,
des corps indistincts que des rencontres fortuites,

des hasards nocturnes avaient rapprochés de son
corps innocent. Elle composait un bonheur, elle
inventait une joie, elle créait de toutes pièces un
impossible amour.

" Elle ne quitte plus son lit, elle laisse son confit
et son pain — disait, à quelque temps de là, Balionte
à Balion. — Mais je te jure qu'elle vide bien toute sa
bouteille. Autant qu'on lui en donnerait, à cette
garce, autant qu'elle en boirait. Et après ça, elle brûle
les draps avec sa cigarette. Elle finira par nous mettre
le feu. Elle fume tant qu'elle a ses doigts et ses ongles
jaunes, comme si elle les avait trempés dans de
l'arnica : si ce n'est pas malheureux! des draps qui
ont été tissés sur la propriété.... Attends un peu que
je te les change souvent! "

Elle disait encore qu'elle ne refusait pas de balayer
la chambre ni de faire le lit. Mais c'était cette feignan-
tasse qui ne voulait pas sortir des draps. Et ce n'était
pas la peine que Balionte, avec ses jambes enflées,
montât des brocs d'eau chaude : elle les retrouvait,
le soir, à la porte de la chambre où elle les avait
posés le matin.

La pensée de Thérèse se détachait du corps inconnu

qu'elle avait suscité pour sa joie, elle se lassait de son bonheur, éprouvait la satiété de l'imaginaire plaisir, — inventait une autre évasion. On s'agenouillait autour de son grabat. Un enfant d'Argelouse (un de ceux qui fuyaient à son approche) était apporté mourant dans la chambre de Thérèse; elle posait sur lui sa main toute jaunie de nicotine, et il se relevait guéri. Elle inventait d'autres rêves plus humbles : elle arrangeait une maison au bord de la mer, voyait en esprit le jardin, la terrasse, disposait les pièces, choisissait un à un chaque meuble, cherchait la place pour ceux qu'elle possédait à Saint-Clair, se disputait avec elle-même pour le choix des étoffes. Puis le décor se défaisait, devenait moins précis, et il ne restait qu'une charmille, un banc devant la mer. Thérèse, assise, reposait sa tête contre une épaule, se levait à l'appel de la cloche pour le repas, entrait dans la charmille noire et quelqu'un marchait à ses côtés qui soudain l'entourait des deux bras, l'attirait. Un baiser, songe-t-elle, doit arrêter le temps; elle imagine qu'il existe dans l'amour des secondes infinies. Elle l'imagine; elle ne le saura jamais. Elle voit la maison blanche encore, le puits; une pompe

grince; des héliotropes arrosés parfument la cour; le
dîner sera un repos avant ce bonheur du soir et de la
nuit qu'il doit être impossible de regarder en face,
tant il dépasse la puissance de notre cœur : ainsi
l'amour dont Thérèse a été plus sevrée qu'aucune
créature, elle en est possédée, pénétrée. A peine
entend-elle les criailleries de Balionte. Que crie la
vieille? Que M. Bernard rentrera du Midi, un jour
ou l'autre, sans avertir : " et que dira-t-il quand il
verra cette chambre? un vrai parc à cochons! Il faut
que Madame se lève de gré ou de force. " Assise sur
son lit, Thérèse regarde avec stupeur ses jambes
squelettiques, et ses pieds lui paraissent énormes.
Balionte l'enveloppe d'une robe de chambre, la pousse
dans un fauteuil. Elle cherche à côté d'elle les cigarettes, mais sa main retombe dans le vide. Un soleil
froid entre par la fenêtre ouverte. Balionte s'agite,
un balai à la main, s'essouffle, marmonne des injures,
— Balionte qui est bonne pourtant, puisqu'on raconte
en famille qu'à chaque Noël la mort du cochon
qu'elle a fini d'engraisser lui arrache des larmes.
Elle en veut à Thérèse de ne pas lui répondre : le
silence est à ses yeux une injure, un signe de mépris.

Mais il ne dépendait pas de Thérèse qu'elle parlât. Quand elle ressentit dans son corps la fraîcheur des draps propres, elle crut avoir dit merci; en vérité, aucun son n'était sorti de ses lèvres. Balionte lui jeta, en s'en allant : " Ceux-là, vous ne les brûlerez pas! " Thérèse eut peur qu'elle ait enlevé les cigarettes, avança la main vers la table : les cigarettes n'y étaient plus. Comment vivre sans fumer? Il fallait que ses doigts pussent sans cesse toucher cette petite chose sèche et chaude; il fallait qu'elle pût ensuite les flairer indéfiniment et que la chambre baignât dans une brume qu'avait aspirée et rejetée sa bouche. Balionte ne remonterait que le soir; tout un après-midi sans tabac! Elle ferma les yeux, et ses doigts jaunes faisaient encore le mouvement accoutumé autour d'une cigarette.

A sept heures Balionte entra avec une bougie, posa sur la table le plateau : du lait, du café, un morceau de pain. " Alors, vous n'avez pas besoin d'autre chose? " Elle attendit malignement que Thérèse réclamât ses cigarettes; mais Thérèse ne détourna pas sa face collée au mur.

Balionte avait sans doute négligé de bien fermer

la fenêtre : un coup de vent l'ouvrit, et le froid de la
nuit emplit la chambre. Thérèse se sentait sans courage pour rejeter les couvertures, pour se lever, pour
courir pieds nus jusqu'à la croisée. Le corps ramassé,
le drap tiré jusqu'aux yeux, elle demeurait immobile,
ne recevant que sur ses paupières et sur son front le
souffle glacé. L'immense rumeur des pins emplissait
Argelouse, mais en dépit de ce bruit d'Océan, c'était
tout de même le silence d'Argelouse. Thérèse songeait que si elle eût aimé souffrir, elle ne se fût pas si
profondément enfoncée sous ses couvertures. Elle
essaya de les repousser un peu, ne put demeurer que
quelques secondes exposée au froid. Puis, elle y
réussit plus longtemps, comme par jeu. Sans que ce
fût selon une volonté délibérée, sa douleur devenait
ainsi son occupation et — qui sait? — sa raison d'être
au monde.

XII

" Une lettre de Monsieur. "

Comme Thérèse ne prenait pas l'enveloppe qu'elle lui tendait, Balionte insista : sûrement, Monsieur disait quand il rentrait ; il fallait pourtant qu'elle le sût pour tout préparer.

" Si Madame veut que je lise.... "

Thérèse dit : " Lisez! lisez! " Et, comme elle faisait toujours en présence de Balionte, se tourna du côté du mur. Pourtant, ce que déchiffrait Balionte la tira de sa torpeur :

J'ai été heureux d'apprendre, par les rapports de Balion, que tout va bien à Argelouse....

Bernard annonçait qu'il rentrerait par la route, mais que comme il comptait s'arrêter dans plu-

sieurs villes, il ne pouvait fixer la date exacte de
son retour.

Ce ne sera sûrement pas après le 20 décembre. Ne vous
étonnez pas de me voir arriver avec Anne et le fils Deguilhem.
Ils se sont fiancés à Beaulieu; mais ce n'est pas encore officiel;
le fils Deguilhem tient beaucoup à vous voir d'abord.
Question de convenance, assure-t-il; pour moi, j'ai le senti-
ment qu'il veut se faire une opinion sur vous savez quoi.
Vous êtes trop intelligente pour ne pas vous tirer de cette
épreuve. Rappelez-vous que vous êtes souffrante, que le
moral est atteint. Enfin, je m'en rapporte à vous. Je saurai
reconnaître votre effort pour ne pas nuire au bonheur d'Anne,
ni compromettre l'heureuse issue de ce projet si satisfaisant
pour la famille, à tous égards; — comme je n'hésiterais
pas non plus, le cas échéant, à vous faire payer cher toute
tentative de sabotage; mais je suis sûr que ce n'est pas à
redouter.

C'était un beau jour clair et froid. Thérèse se leva,
docile aux injonctions de Balionte, et fit à son bras
quelques pas dans le jardin, mais eut bien de la peine
à finir son blanc de poulet. Il restait dix jours avant le

décembre. Si Madame consentait à se secouer un
eu, c'était plus qu'il n'en fallait pour être sur pieds.

" On ne peut pas dire qu'elle y mette de la mau-
aise volonté, disait Balionte à Balion. Elle fait ce
u'elle peut. Monsieur Bernard s'y connaît pour
resser les mauvais chiens. Tu sais, quand il leur met
" collier de force " ? Celle-là ça n'a pas été long
la rendre comme une chienne couchante. Mais
ferait aussi bien de ne pas s'y fier.... "

Thérèse, en effet, mettait tout son effort dans le
noncement au songe, au sommeil, à l'anéantisse-
ent. Elle s'obligeait à marcher, à manger, mais sur-
ut à redevenir lucide, à voir avec ses yeux de chair
s choses, les êtres ; — et comme elle fût revenue dans
e lande incendiée par elle, qu'elle eût foulé cette
ndre, qu'elle se fût promenée à travers les pins
ûlés et noirs, elle essaierait aussi de parler, de sou-
e au milieu de cette famille, — de sa famille.

Le 18, vers trois heures, par un temps couvert
ais sans pluie, Thérèse était assise devant le feu de sa
ambre, la tête appuyée au dossier, les yeux fermés.
e trépidation de moteur l'éveilla. Elle reconnut

la voix de Bernard dans le vestibule; elle entendi
aussi madame de la Trave. Lorsque Balionte, à bou
de souffle, eut poussé la porte sans avoir frappé
Thérèse était debout déjà, devant la glace. Elle mettai
du rouge à ses joues, à ses lèvres. Elle disait : " l
ne faut pas que je lui fasse peur, à ce garçon. "

Mais Bernard avait commis une faute en ne montan
pas d'abord chez sa femme. Le fils Deguilhem, qu
avait promis à sa famille " de ne pas garder les yeu
dans sa poche ", se disait " que c'était, à tout le moins
un manque d'empressement et qui donnait à penser "
Il s'écarta un peu d'Anne, releva son col de fourrure
en remarquant que " ces salons de campagne,
ne faut pas essayer de les chauffer ". Il demand
à Bernard : " Vous n'avez pas de cave en dessous
Alors votre plancher pourrira toujours, à moins qu
vous ne fassiez mettre une couche de ciment....

Anne de la Trave avait un manteau de petit gri
un chapeau de feutre sans ruban ni cocarde (" mai
disait madame de la Trave, il coûte plus cher, sans l
moindre fourniture, que nos chapeaux d'autrefoi
avec leurs plumes et leurs aigrettes. C'est vrai que l
feutre est de toute beauté. Il vient de chez Lailhac

ais c'est le modèle de Reboux "). Madame de la
rave tendait ses bottines au feu, sa figure à la fois
npérieuse et molle était tournée vers la porte. Elle
vait promis à Bernard d'être à la hauteur des circon-
ances. Par exemple, elle l'avait averti : " Ne me
emande pas de l'embrasser. On ne peut pas
emander ça à ta mère. Ce sera déjà pour moi bien
sez terrible de toucher sa main. Tu vois : Dieu
it que c'est épouvantable ce qu'elle a fait; eh bien,
n'est pas ce qui me révolte le plus. On savait déjà
i'il y avait des gens capables d'assassiner... mais
est son hypocrisie! Ça, c'est épouvantable! Tu te
ppelles : " Mère, prenez donc ce fauteuil, vous
rez mieux.... " Et tu te souviens quand elle avait
llement peur de te frapper? " Le pauvre chéri a
orreur de la mort, une consultation l'achèvera.... "
ieu sait que je ne me doutais de rien; mais " pauvre
éri " dans sa bouche m'avait surprise.... "

Maintenant, dans le salon d'Argelouse, madame de
Trave n'est plus sensible qu'à la gêne que chacun
rouve; elle observe les yeux de pie du fils
eguilhem fixés sur Bernard.

" Bernard, tu devrais aller voir ce que fait

Thérèse.... Elle est peut-être plus souffrante. "

Anne (indifférente, comme détachée de ce qui peut survenir) reconnaît la première un pas familier, dit : " Je l'entends qui descend. " Bernard, une main appuyée à son cœur, souffre d'une palpitation. C'était idiot de n'être pas arrivé la veille, il aurait réglé la scène d'avance avec Thérèse. Qu'allait-elle dire? Elle était de force à tout compromettre, sans rien faire précisément qu'on lui pût reprocher. Comme elle descend lentement l'escalier! Ils sont tous debout, tournés vers la porte que Thérèse ouvre enfin.

Bernard devait se rappeler, bien des années après, qu'à l'approche de ce corps détruit, de cette petite figure blanche et fardée, il pensa d'abord : *Cou. d'assises*. Mais ce n'était pas à cause du crime de Thérèse. En une seconde, il revit cette image coloriée du *Petit Parisien* qui, parmi beaucoup d'autres ornait les cabinets en planches du jardin d'Arge louse; — et tandis que bourdonnaient les mouches qu'au-dehors grinçaient les cigales d'un jour de feu ses yeux d'enfant scrutaient ce dessin rouge et ver qui représentait *la Séquestrée de Poitiers*.

Ainsi contemplait-il, maintenant, Thérèse, exsangue, décharnée, et mesurait-il sa folie de n'avoir pas coûte que coûte écarté cette femme terrible, — comme on va jeter à l'eau un engin qui, d'une seconde à l'autre, peut éclater. Que ce fût ou non à son insu, Thérèse suscitait le drame, — pire que le drame : le fait divers; il fallait qu'elle fût criminelle ou victime.... Il y eut, du côté de la famille, une rumeur d'étonnement et de pitié si peu feinte, que le fils Deguilhem hésita dans ses conclusions, ne sut plus que penser. Thérèse disait :

" Mais c'est très simple, le mauvais temps m'empêchait de sortir, alors j'avais perdu l'appétit. Je ne mangeais presque plus. Mieux vaut maigrir qu'engraisser.... Mais parlons de toi, Anne, je suis heureuse.... "

Elle lui prit les mains (elle était assise, Anne debout). Elle la contemplait. Dans cette figure, qu'on eût cru rongée, Anne reconnaissait bien ce regard dont l'insistance naguère l'irritait. Elle se souvient qu'elle lui disait : " Quand tu auras fini de me regarder comme ça ! "

" Je me réjouis de ton bonheur, ma petite Anne. "

Elle sourit brièvement au " bonheur d'Anne ",
au fils Deguilhem — à ce crâne, à ces moustaches de
gendarme, à ces épaules tombantes, à cette jaquette,
à ces petites cuisses grasses sous un pantalon rayé
gris et noir (mais quoi! c'était un homme comme
tous les hommes, — enfin, un mari). Puis de nouveau
elle posa les yeux sur Anne, lui dit :

" Enlève ton chapeau.... Ah! comme ça, je te
reconnais, ma chérie. "

Anne, maintenant, voyait de tout près une bouche
un peu grimaçante, ces yeux toujours secs, ces yeux
sans larmes; mais elle ne savait pas ce que pensait
Thérèse. Le fils Deguilhem disait que l'hiver à la
campagne n'est pas si terrible pour une femme qui
aime son intérieur : " Il y a toujours tant de choses
à faire dans une maison. "

" Tu ne me demandes pas des nouvelles de Marie?

— C'est vrai.... Parle-moi de Marie.... "

Anne parut de nouveau méfiante, hostile; depuis
des mois, elle répétait souvent, avec les mêmes into-
nations que sa mère : " Je lui aurais tout pardonné,
parce que enfin c'est une malade; mais son indifférence pour Marie, je ne peux pas la digérer. Une

mère qui ne s'intéresse pas à son enfant, vous pouvez
inventer toutes les excuses que vous voudrez, je
trouve ça ignoble. "

Thérèse lisait dans la pensée de la jeune fille :
" Elle me méprise parce que je ne lui ai pas d'abord
parlé de Marie. Comment lui expliquer? Elle ne com-
prendrait pas que je suis remplie de moi-même, que
je m'occupe tout entière. Anne, elle, n'attend que
d'avoir des enfants pour s'anéantir en eux, comme a
fait sa mère, comme font toutes les femmes de la
famille. Moi, il faut toujours que je me retrouve; je
m'efforce de me rejoindre.... Anne oubliera son ado-
lescence contre la mienne, les caresses de Jean Azévédo, dès le premier vagissement du marmot que va
lui faire ce gnome, sans même enlever sa jaquette.
Les femmes de la famille aspirent à perdre toute existence individuelle. C'est beau, ce don total à l'espèce;
je sens la beauté de cet effacement, de cet anéantisse-
ment.... Mais moi, mais moi.... "

Elle essaya de ne pas écouter ce qu'on disait, de
penser à Marie; la petite devait parler, maintenant :
" Cela m'amuserait quelques secondes, peut-être,
de l'entendre, mais tout de suite elle m'ennuierait,

je serais impatiente de me retrouver seule avec moi-
même.... " Elle interroge Anne :

" Elle doit bien parler, Marie?

— Elle répète tout ce qu'on veut. C'est tordant.
Il suffit d'un coq ou d'une trompe d'auto, pour qu'elle
lève son petit doigt et dise : " T'entends la sisique? "
C'est un amour, c'est un chou. "

Thérèse songe : " Il faut que j'écoute ce qu'on dit.
J'ai la tête vide; que raconte le fils Deguilhem? "
Elle fait un grand effort, prête l'oreille.

" Dans ma propriété de Balisac, les résiniers ne
sont pas vaillants comme ici : quatre amasses de
gemme, lorsque les paysans d'Argelouse en font sept
ou huit.

— Au prix où est la gemme, faut-il qu'ils soient
fainéants!

—— Savez-vous qu'un résinier, aujourd'hui, se fait
des journées de cent francs.... Mais je crois que nous
fatiguons madame Desqueyroux.... "

Thérèse appuyait au dossier sa nuque. Tout le
monde se leva. Bernard décida qu'il ne rentrerait
pas à Saint-Clair. Le fils Deguilhem acceptait de
conduire l'auto que le chauffeur ramènerait à Arge-

ouse, le lendemain, avec le bagage de Bernard. Thé-
èse fit un effort pour se lever, mais sa belle-mère l'en
mpêcha.

Elle ferme les yeux, elle entend Bernard dire à
madame de la Trave : " Ces Balion, tout de même!
e que je vais leur laver la tête.... Ils le sentiront
asser. — Fais attention, ne va pas trop fort, il ne
aut pas qu'ils s'en aillent; d'abord ils en savent trop
ong; et puis, pour les propriétés.... Balion est seul
bien connaître toutes les limites. "

Madame de la Trave répond à une réflexion de
ernard que Thérèse n'a pas entendue : " Tout de
même, sois prudent, ne te fie pas trop à elle, surveille
es gestes, ne la laisse jamais entrer seule à la cuisine
u à la salle à manger... mais non : elle n'est pas éva-
ouie; elle dort ou elle fait semblant. "

Thérèse rouvre les yeux : Bernard est devant elle;
tient un verre et dit : " Avalez ça; c'est du vin
'Espagne; c'est très remontant. " Et comme il fait
ujours ce qu'il a décidé de faire, il entre à la cuisine,
met en colère. Thérèse entend le patois glapissant
Balionte et songe : " Bernard a eu peur, c'est évi-
nt; peur de quoi? " Il rentre :

" Je pense que vous mangerez avec plus d'appéti
à la salle à manger que dans votre chambre. J'a
donné des ordres pour que le couvert soit mis comm
autrefois. "

Thérèse retrouvait le Bernard du temps de l'ins
truction : l'allié qui voulait à tout prix la tirer d'affair
Il désire qu'elle guérisse, coûte que coûte. Ou
c'est évident qu'il a eu peur. Thérèse l'observe, assi
en face d'elle et tisonnant, mais ne devine pas l'imag
que contemplent ses gros yeux dans la flamme; d
dessin rouge et vert du *Petit Parisien* : *la Séquestr*
de Poitiers.

Autant qu'il ait plu, le sable d'Argelouse ne retier
aucune flaque. Au cœur de l'hiver, il suffit d'une heur
de soleil pour impunément fouler, en espadrille
les chemins feutrés d'aiguilles, élastiques et sec
Bernard chassait tout le jour, mais rentrait pour le
repas, s'inquiétait de Thérèse, la soignait comme
n'avait jamais fait. Très peu de contrainte dans leu
rapports. Il l'obligeait à se peser tous les trois jour
à ne fumer que deux cigarettes après chaque repa
Thérèse, sur le conseil de Bernard, marchait beau
coup : " L'exercice est le meilleur apéritif. "

Elle n'avait plus peur d'Argelouse; il lui semblait
ue les pins s'écartaient, ouvraient leurs rangs, lui
isaient signe de prendre le large. Un soir, Bernard
i avait dit : " Je vous demande d'attendre jusqu'au
ariage d'Anne; il faut que tout le pays nous voie,
ne fois encore, ensemble; après, vous serez libre. "
lle n'avait pu dormir, durant la nuit qui suivit. Une
quiète joie lui tenait les yeux ouverts. Elle entendit
l'aube les coqs innombrables qui ne semblaient pas
répondre : ils chantaient tous ensemble, emplis-
ient la terre et le ciel d'une seule clameur. Bernard
lâcherait dans le monde, comme autrefois dans la
nde cette laie qu'il n'avait pas su apprivoiser. Anne
fin mariée, les gens diraient ce qu'ils voudraient :
ernard immergerait Thérèse au plus profond de
ris et prendrait la fuite. C'était entendu entre eux.
s de divorce ni de séparation officielle; on inven-
rait, pour le monde, une raison de santé ("elle ne se
rte bien qu'en voyage "). Il lui réglerait fidèlement
s gemmes, à chaque Toussaint.

Bernard n'interrogeait pas Thérèse sur ses projets :
'elle aille se faire pendre ailleurs. " Je ne serai tran-
ille, disait-il à sa mère, que lorsqu'elle aura débar-

rassé le plancher. — J'entends bien qu'elle reprendr
son nom de jeune fille.... N'empêche que si elle fai
des siennes, on saura bien te retrouver. " Mais Thé
rèse, affirmait-il, ne ruait que dans les brancards
Libre, peut-être, n'y aurait-il pas plus raisonnable. I
fallait, en tout cas, en courir la chance. C'était auss
l'opinion de M. Larroque. Tout compte fait, mieu
valait que Thérèse disparût; on l'oublierait plus vite
les gens perdraient l'habitude d'en parler. Il impor
tait de faire le silence. Cette idée avait pris racine e
eux et rien ne les en eût fait démordre : il fallait qu
Thérèse sortît des brancards. Qu'ils en étaient impa
tients!

Thérèse aimait ce dépouillement que l'hiver finis
sant impose à une terre déjà si nue; pourtant la bur
tenace des feuilles mortes demeurait attachée au
chênes. Elle découvrait que le silence d'Argelous
n'existe pas. Par les temps les plus calmes, la forêt s
plaint comme on pleure sur soi-même, se berce, s'er
dort et les nuits ne sont qu'un indéfini chuchotemen
Il y aurait des aubes de sa future vie, de cette inim
ginable vie, des aubes si désertes qu'elle regrettera
peut-être l'heure du réveil à Argelouse, l'unique cl

meur des coqs sans nombre. Elle se souviendra, dans
les étés qui vont venir, des cigales du jour et des
grillons de la nuit. Paris : non plus les pins déchirés,
mais les êtres redoutables ; la foule des hommes après
la foule des arbres.

Les époux s'étonnaient de ce qu'entre eux subsis-
tait si peu de gêne. Thérèse songeait que les êtres
nous deviennent supportables dès que nous sommes
sûrs de pouvoir les quitter. Bernard s'intéressait au
poids de Thérèse, — mais aussi à ses propos : elle
parlait devant lui plus librement qu'elle n'avait jamais
fait : " A Paris... quand je serai à Paris.... " Elle habi-
terait l'hôtel, chercherait peut-être un appartement.
Elle comptait suivre des cours, des conférences, des
concerts, " reprendre son éducation par la base ".
Bernard ne songeait pas à la surveiller ; et, sans arrière-
pensée, mangeait sa soupe, vidait son verre. Le docteur Pédemay, qui parfois les rencontrait sur la route
d'Argelouse, disait à sa femme : " Ce qu'il y a d'éton-
nant, c'est qu'ils n'ont pas du tout l'air de jouer la
comédie. "

XIII

Un matin chaud de mars, vers dix heures, le flot humain coulait déjà, battait la terrasse du café de la Paix où étaient assis Bernard et Thérèse. Elle jeta sa cigarette et, comme font les Landais, l'écrasa avec soin.

"Vous avez peur de mettre le feu au trottoir?"

Bernard se força pour rire. Il se reprochait d'avoir accompagné Thérèse jusqu'à Paris. Sans doute au lendemain du mariage d'Anne, l'avait-il fait à cause de l'opinion publique, — mais surtout il avait obéi au désir de la jeune femme. Il se disait qu'elle avait le génie des situations fausses : tant qu'elle demeurerait dans sa vie, il risquait de condescendre ainsi à des gestes déraisonnables; même sur un esprit aussi équilibré, aussi solide que le sien, cette folle gardait un semblant d'influence. Au moment de se séparer

d'elle, il ne pouvait se défendre d'une tristesse dont
il n'eût jamais convenu : rien qui lui fût plus étranger
qu'un sentiment de cette sorte, provoqué par autrui
(mais surtout par Thérèse... cela était impossible à
imaginer). Qu'il se sentait impatient d'échapper à ce
trouble! Il ne respirerait librement que dans le train de
midi. L'auto l'attendrait ce soir à Langon. Très vite,
au sortir de la gare, sur la route de Villandraut, les
pins commencent. Il observait le profil de Thérèse,
ses prunelles qui parfois s'attachaient dans la foule à
une figure, la suivaient jusqu'à ce qu'elle ait disparu;
et soudain :

" Thérèse... je voulais vous demander.... "

Il détourna les yeux, n'ayant jamais pu soutenir le
regard de cette femme, puis très vite :

" Je voudrais savoir.... C'était parce que vous me
détestiez? Parce que je vous faisais horreur? "

Il écoutait ses propres paroles avec étonnement,
avec agacement. Thérèse sourit, puis le fixa d'un air
grave : Enfin! Bernard lui posait une question, celle
même qui fût d'abord venue à l'esprit de Thérèse si
elle avait été à sa place. Cette confession longuement
préparée, dans la victoria, au long de la route du

lizan, puis dans le petit train de Saint-Clair, cette
uit de recherches, cette quête patiente, cet effort
our remonter à la source de son acte, — enfin ce
tour épuisant sur soi-même était peut-être au
moment d'obtenir son prix. Elle avait, à son insu,
oublé Bernard. Elle l'avait compliqué; et voici
u'il l'interrogeait comme quelqu'un qui ne voit pas
air, qui hésite. Moins simple... donc, moins impla-
ble. Thérèse jeta sur cet homme nouveau un regard
omplaisant, presque maternel. Pourtant, elle lui
pondit, d'un ton de moquerie :

« Ne savez-vous pas que c'est à cause de vos pins?
ui, j'ai voulu posséder seule vos pins. »

Il haussa les épaules :

« Je ne le crois plus si je l'ai jamais cru. Pourquoi
ez-vous fait cela? Vous pouvez bien me le dire,
aintenant. »

Elle regardait dans le vide : sur ce trottoir, au bord
un fleuve de boue et de corps pressés, au moment de
y jeter, de s'y débattre, ou de consentir à l'enlise-
ent, elle percevait une lueur, une aube : elle ima-
nait un retour au pays secret et triste, — toute une
e de méditation, de perfectionnement, dans le

silence d'Argelouse : l'aventure intérieure, la recherche de Dieu.... Un Marocain qui vendait des tapis et
des colliers de verre crut qu'elle lui souriait, s'approcha d'eux. Elle dit, avec le même air de se moquer :

" J'allais vous répondre : " Je ne sais pas pourquoi j'ai fait cela "; mais maintenant, peut-être le
sais-je, figurez-vous! Il se pourrait que ce fût pour
voir dans vos yeux une inquiétude, une curiosité, —
du trouble enfin : tout ce que depuis une seconde j'y
découvre. "

Il gronda, d'un ton qui rappelait à Thérèse leur
voyage de noces :

" Vous aurez donc de l'esprit jusqu'à la fin....
Sérieusement : pourquoi? "

Elle ne riait plus; elle demanda à son tour :

" Un homme comme vous, Bernard, connaît toujours toutes les raisons de ses actes, n'est-ce pas?

— Sûrement... sans doute.... Du moins il me
semble.

— Moi, j'aurais tant voulu que rien ne vous
demeurât caché. Si vous saviez à quelle torture je me
suis soumise, pour voir clair.... Mais toutes les raisons
que j'aurais pu vous donner, comprenez-vous, à

eine les eussé-je énoncées, elles m'auraient paru
menteuses.... "

Bernard s'impatienta :

" Enfin, il y a eu tout de même un jour où vous
vous êtes décidée... où vous avez fait le geste?

— Oui, le jour du grand incendie de Mano. "

Ils s'étaient rapprochés, parlaient à mi-voix. A ce
carrefour de Paris, sous ce soleil léger, dans ce vent
un peu trop frais qui sentait le tabac d'outre-mer et
agitait les stores jaunes et rouges, Thérèse trouvait
étrange d'évoquer l'après-midi accablant, le ciel
chargé de fumée, le fuligineux azur, cette pénétrante
odeur de torche qu'épandent les pignadas consumées,
— et son propre cœur ensommeillé où prenait forme
lentement le crime.

" Voici comment cela est venu : c'était dans la salle
à manger, obscure comme toujours à midi; vous parlez, la tête un peu tournée vers Balion, oubliant de
compter les gouttes qui tombaient dans votre verre. "

Thérèse ne regardait pas Bernard, toute au soin de
ne pas omettre la plus menue circonstance; mais elle
entendit rire et alors le dévisagea : oui, il riait de
son stupide rire; il disait : " Non! mais pour qui me

prenez-vous! " Il ne la croyait pas (mais, au vrai, ce
qu'elle disait, était-ce croyable?) Il ricanait et elle
reconnaissait le Bernard sûr de soi et qui ne s'en laisse
pas conter. Il avait reconquis son assiette; elle se
sentait de nouveau perdue; il gouaillait :

" Alors, l'idée vous est venue, comme cela, tout
d'un coup, par l'opération du Saint-Esprit? "

Qu'il se haïssait d'avoir interrogé Thérèse! C'était
perdre tout le bénéfice du mépris dont il avait accablé
cette folle : elle relevait la tête, parbleu! Pourquoi
avait-il cédé à ce brusque désir de comprendre?
Comme s'il y avait quoi que ce fût à comprendre, avec
ces détraquées! Mais cela lui avait échappé; il n'avait
pas réfléchi....

" Écoutez, Bernard, ce que je vous en dis, ce
n'est pas pour vous persuader de mon innocence, bien
loin de là! "

Elle mit une passion étrange à se charger : pour
avoir agi ainsi en somnambule, il fallait, à l'entendre,
que depuis des mois elle eût accueilli dans son cœur,
qu'elle eût nourri des pensées criminelles. D'ailleurs,
le premier geste accompli, avec quelle fureur lucide
elle avait poursuivi son dessein! avec quelle ténacité

" Je ne me sentais cruelle que lorsque ma main hésitait. Je m'en voulais de prolonger vos souffrances. Il fallait aller jusqu'au bout, et vite! Je cédais à un affreux devoir. Oui, c'était comme un devoir. "

Bernard l'interrompit :

" En voilà des phrases! Essayez donc de me dire, une bonne fois, ce que vous vouliez! Je vous en défie.

— Ce que je voulais? Sans doute serait-il plus aisé de dire ce que je ne voulais pas; je ne voulais pas jouer un personnage, faire des gestes, prononcer des formules, renier enfin à chaque instant une Thérèse qui.... Mais non, Bernard; voyez, je ne cherche qu'à être véridique; comment se fait-il que tout ce que je vous raconte-là rende un son si faux?

— Parlez plus bas : le monsieur qu est devant nous s'est retourné. "

Bernard ne souhaitait plus rien que d'en finir. Mais il connaissait cette maniaque : elle s'en donnerait à cœur joie de couper les cheveux en quatre. Thérèse comprenait aussi que cet homme, une seconde rapproché, s'était de nouveau éloigné à l'infini. Elle insistait pourtant, essayait de son beau sourire, donnait à sa voix certaines inflexions basses et rauques qu'il avait aimées.

" Mais maintenant, Bernard, je sens bien que la Thérèse qui, d'instinct, écrase sa cigarette parce qu'un rien suffit à mettre le feu aux brandes, — la Thérèse qui aimait compter ses pins elle-même, régler ses gemmes ; — la Thérèse qui était fière d'épouser un Desqueyroux, de tenir son rang au sein d'une bonne famille de la lande, contente enfin de se caser, comme on dit, cette Thérèse-là est aussi réelle que l'autre, aussi vivante ; non, non : il n'y avait aucune raison de la sacrifier à l'autre.

— Quelle autre ? "

Elle ne sut que répondre, et il regarda sa montre. Elle dit : " Il faudra pourtant que je revienne quelque-fois, pour mes affaires... et pour Marie.

— Quelles affaires ? C'est moi qui gère les biens de la communauté. Nous ne revenons pas sur ce qui est entendu, n'est-ce pas ? Vous aurez votre place à toutes les cérémonies officielles où il importe, pour l'hon-neur du nom et dans l'intérêt de Marie, que l'on nous voie ensemble. Dans une famille aussi nombreuse que la nôtre, les mariages ne manquent pas, Dieu

merci! ni les enterrements. Pour commencer, ça
m'étonnerait que l'oncle Martin dure jusqu'à l'automne : ce vous sera une occasion, puisqu'il paraît
que vous en avez déjà assez.... "

Un agent à cheval approchait un sifflet de ses
lèvres, ouvrait d'invisibles écluses, une armée de
piétons se hâtait de traverser la chaussée noire avant
que l'ait recouverte la vague des taxis : " J'aurais
dû partir, une nuit, vers la lande du Midi, comme
Daguerre. J'aurais dû marcher à travers les pins rachi-
tiques de cette terre mauvaise; — marcher jusqu'à
épuisement. Je n'aurais pas eu le courage de tenir ma
tête enfoncée dans l'eau d'une lagune (ainsi qu'a fait
ce berger d'Argelouse, l'année dernière, parce que
sa bru ne lui donnait pas à manger). Mais j'aurais pu
me coucher dans le sable, fermer les yeux.... C'est
vrai qu'il y a les corbeaux, les fourmis qui n'attendent
pas.... "
Elle contempla le fleuve humain, cette masse
vivante qui allait s'ouvrir sous son corps, la rouler,
l'entraîner. Plus rien à faire. Bernard tire encore sa
montre.

" Onze heures moins le quart : le temps de passer
à l'hôtel....

— Vous n'aurez pas trop chaud pour voyager.

— Il faudra même que je me couvre, ce soir, dans
l'auto. "

Elle vit en esprit la route où il roulerait, crut que le
vent froid baignait sa face, ce vent qui sent le maré-
cage, les copeaux résineux, les feux d'herbes, la
menthe, la brume. Elle regarda Bernard, eut ce sourire qui autrefois faisait dire aux dames de la lande :
" On ne peut pas prétendre qu'elle soit jolie, mais
elle est le charme même. " Si Bernard lui avait dit :
" Je te pardonne; viens.... " Elle se serait levée,
l'aurait suivi. Mais Bernard, un instant irrité de se
sentir ému, n'éprouvait plus que l'horreur des gestes
inaccoutumés, des paroles différentes de celles qu'il est
d'usage d'échanger chaque jour. Bernard était à
" la voie ", comme ses carrioles : il avait besoin de ses
ornières; quand il les aura retrouvées, ce soir même,
dans la salle à manger de Saint-Clair, il goûtera le
calme, la paix.

" Je veux une dernière fois vous demander pardon, Bernard. "

Elle prononce ces mots avec trop de solennité et sans espoir, — dernier effort pour que reprenne la conversation. Mais lui proteste : " N'en parlons plus.... "

" Vous allez vous sentir bien seul : sans être là, j'occupe une place; mieux vaudrait pour vous que je fusse morte. "

Il haussa un peu les épaules et, presque jovial, la pria " de ne pas s'en faire pour lui ".

" Chaque génération de Desqueyroux a eu son vieux garçon! il fallait bien que ce fût moi. J'ai toutes les qualités requises (ce n'est pas vous qui direz le contraire?) Je regrette seulement que nous ayons eu une fille; à cause du nom qui va finir. Il est vrai que, même si nous étions demeurés ensemble, nous n'aurions pas voulu d'autre enfant... alors, en somme, tout va bien.... Ne vous dérangez pas; restez là. "

Il fit signe à un taxi, revint sur ses pas pour rappeler à Thérèse que les consommations étaient payées.

Elle regarda longtemps la goutte de porto au fond du verre de Bernard; puis de nouveau dévisagea les passants. Certains semblaient attendre, allaient et

venaient. Une femme se retourna deux fois, sourit à
Thérèse (ouvrière, ou déguisée en ouvrière?) C'était
l'heure où se vident les ateliers de couture. Thérèse
ne songeait pas à quitter la place; elle ne s'ennuyait
ni n'éprouvait de tristesse. Elle décida de ne pas aller
voir, cet après-midi, Jean Azévédo, — et poussa un
soupir de délivrance : elle n'avait pas envie de le voir
causer encore! chercher des formules! Elle connaissait Jean Azévédo; mais les êtres dont elle souhaitait
l'approche, elle ne les connaissait pas; elle savait d'eux
seulement qu'ils n'exigeraient guère de paroles.
Thérèse ne redoutait plus la solitude. Il suffisait qu'elle
demeurât immobile : comme son corps, étendu dans
la lande du Midi, eût attiré les fourmis, les chiens, ici
elle pressentait déjà autour de sa chair une agitation obscure, un remous. Elle eut faim, se leva, vit
dans une glace d'Old England la jeune femme qu'elle
était : ce costume de voyage très ajusté lui allait bien.
Mais de son temps d'Argelouse, elle gardait une
figure comme rongée : ses pommettes trop saillantes,
ce nez court. Elle songea : " Je n'ai pas d'âge. " Elle
déjeuna (comme souvent dans ses rêves) rue Royale.
Pourquoi rentrer à l'hôtel puisqu'elle n'en avait pas

nvie? Un chaud contentement lui venait, grâce à
ette demi-bouteille de Pouilly. Elle demanda des
igarettes. Un jeune homme, d'une table voisine, lui
ndit son briquet allumé, et elle sourit. La route de
'illandraut, le soir, entre ces pins sinistres, dire qu'il
 a une heure à peine, elle souhaitait de s'y enfoncer
ux côtés de Bernard! Qu'importe d'aimer tel pays
u tel autre, les pins ou les érables, l'Océan ou la
laine? Rien ne l'intéressait que ce qui vit, que les
res de sang et de chair. " Ce n'est pas la ville de
ierres que je chéris, ni les conférences, ni les musées,
est la forêt vivante qui s'y agite, et que creusent des
assions plus forcenées qu'aucune tempête. Le gémis-
ment des pins d'Argelouse, la nuit, n'était émou-
ant que parce qu'on l'eût dit humain. "

Thérèse avait un peu bu et beaucoup fumé. Elle
ait seule comme une bienheureuse. Elle farda ses
ues et ses lèvres, avec minutie; puis, ayant gagné
rue, marcha au hasard.

BRODARD ET TAUPIN — IMPRIMEUR - RELIEUR
Paris-Coulommiers. — France.
05.124-XII-4-5855 - Dépôt légal n° 2280, 2ᵉ trimestre 1962
LE LIVRE DE POCHE - 4, rue de Galliéra, Paris.